マインドトーク

あなたと私の心の話

みたらし加奈

最も個人的なことは、最も一般的なことである。

What is most personal is most general.

―カール・ロジャーズ　Carl Rogers―

序章

私たちは今まさに激動の時代の中を生きている。

技術面で言えば、携帯電話は肩にかけるものからスマートフォンになった。医療現場にも次々と新しい機械が投入されているし、LED ライトでレタスまで作れるようになった。ゲームも動画も、VR によってその世界を目の前で体感できるようになった。

いい面だけ見れば、日本は清潔だ。電車は遅れない。食べ物や加工食品だって安く手に入る。ご飯はおいしい。日常では、気軽に医療機関にかかることができる。都内は、電車でどこにでも行ける。どんな災害が起きたとしても、ライフラインの復旧はどの国よりもスピーディだ。

しかしその陰で、多くの悲劇も起こった。

バブル崩壊、地下鉄サリン事件、そして東日本大震災。度重なる天災では、多くの人たちが大切なものを失った。時代が進むにつれ、豊かになっていくどころか格差社会はますます広がっていく。金銭的問題や結婚制度の不平等により、愛する人と家族になれない人たちもいる。ジェンダー・ギャップは広がっているのに、それを大きな問題として認識されない。政治に関心のない人も多く、投票率は低い。最近では世界中を恐怖に陥れるウイルスが蔓延し、再び世界恐慌が起ころうとしている。これからどうなっていくんだろう。そんな不安ばかりが募る。全体で見れば自殺者数は減っているのに、若者の自殺は増えている。私たちは、どんどん明るい未来を展望できなくなってしまった。

でも辛く悲しいことばかりが目に飛び込んでくる今だからこそ、あなたに寄り添いたいと思った。祈るように、願うように言葉を書き連ねている。

目に見えるものが大きく変わっていく中で、自分自身にも「大きな変化」を求めて疲れてしまった人もいるだろう。技術が革新的に進んだ今こ

そ、私たちが本当に必要なものは、めちゃくちゃアナログで、単純なことなのかもしれない。目に見えるものが変わっていく時は、実は「目に見えない内面」が重要になってくる。私たちの人生は、「目に見えないもの」との葛藤の繰り返しだ。

そして、それこそがマインドトーク、自分と対話をすることである。それは、あなたの生きる選択肢を広げるために、もう一度「生きる」と向き合ってみることでもある。自戒の意味も込めて、まずは私自身も振り返ってみたいと思う。私の人生を通して、「こんな人間もいるんだ」と少しでも知ってもらえたら嬉しい。

歴史が変わる瞬間、一見、大事に見える瞬間にも、そこには地続きの毎日が連鎖している。世間が騒げば騒ぐほど、淡々とした自分の生活を意識するようになってくる。そして、変化の後に必要なのは「未来への展望」だ。今の日本に、一体何が必要なのだろう。私たちは、何をすれば良いのだろう。

私たちの生きている世界は、いつだって希望と絶望が同時に存在している。どちらに目を向けるかはその人次第だ。私自身が生きていく中で、それを強く体感した。死にたいと強く願う夜もあった。でも、こうして生きてしまった。どうせ生きているのならば、私は私の環境を変えていきたい。それがもしあなたの力になれたら、これほど嬉しいことはない。どんなに失望したとしても、私は自分の生きる世界を愛している。あなたの生きる、この世界が愛しい。だからこそ、私から見える世界に住んでいる皆が生きやすい世の中になったら嬉しい。

私は、自分の人生を丸ごと肯定する。そしてあなたの生きてきた道、そして歩んでいく人生を肯定させてほしい。

目次

第 1 章

変えたい

ネットの世界に産まれたもうひとりの私

その日は、寒いなぁと思いつつ、渋谷の駅前で妹を待っていた。見慣れた街でぽつんと道行く人たちを見ながらぼうっとしていると、「精神障害者です。話相手をして下さい。」という紙を持った1人の女性が目に留まった。

土曜の昼過ぎ、多くの人が交差する渋谷の喧騒の中、その場所だけ時間が止まっているように見えた。誰もが彼女には気にも留めず、目に入ったとしても嘲笑するかのような表情や、眉をひそめる人たちばかりだった。「偏見」という言葉が頭をよぎる。その光景を悲劇として捉えてしまえば彼女に失礼ではあるが、この場所を包む雰囲気に「嫌な感じ」を覚えてしまった。そして思わず、体が動いていた。

隣に座り、「寒いですね」と声を掛けた。するとハッとした表情の後、満面の笑みで「寒いですね！ 待ち合わせですか？」と、彼女に問い返された。「人を待ってます。でも時間がある。少しお話ししましょう」と声を掛けると、にこやかに対応をしてくれた。

私たちはそのまま、いろんな話をした。

「なんで、道端で人と話そうと思ったんですか？」と聞くと「寂しかったから」と、ご家族のことを話してくれた。日本ではまだまだ精神疾患に対する偏見が根強く残っているため、病気を発症してから家族の協力を得られないことも多々ある。

「病気になってしまってから、うまく友だちも作れなくて。誰でもいいから、誰かと話したかったの。ほんの30秒でもいい、寂しさを忘れられるから」

そのひと言は、彼女の孤独を示すのに充分すぎる言葉だった。

精神障がい者の労働環境、自立支援の話もした。嬉しそうに、趣味で始めた習字の作品も見せてくれた。生活の中で、彼女が抱える葛藤や怒りも話してくれた。私は通りすがりの人間で、患者と医療従事者の関係ではなく、責任や損得勘定も関係ない。だからこそ、2人で本音をたくさん話せたのだと思う。

「誰がいつどうなるかなんてわからない。私だって明日、精神疾患になるかもしれない」。そう話すと、「私が出会った人たちの中で、そういう考えを持つ人は初めてです」と言われた。精神疾患というと、自分と切り離されたものに感じてしまうが、そんなことはない。体の病

気と同じで、いつだって身近なところに存在している。

彼女と過ごした時間はたった30分、すごく濃密な時間だった。自分のタイミングを押し付けることもなく、「待ち人は大丈夫か」と何度も気にかけてくれた。妹から連絡が来て「そろそろ」と言うと、「本当にありがとう」と言われた。「大丈夫、生きていればなんでもできる。お互い生きていきましょう」と伝えた。おこがましいのも無責任なのもわかっている。でも、それが私の精一杯の、本当の本当の気持ちだった。

「うん！ すごく元気をもらえた。生きていけます」と、彼女は笑顔で答えてくれた。「少しでもいろんな人に伝わるように」と一緒に写真を撮り、握手をして解散した。

帰宅後、私は自身のSNSを使ってがむしゃらに文字を打った。彼女と私の気持ちを、想いを、誰かに伝えなければならない気がした。そして、文章の最後にこう綴った。

「少しでいい、少しでいいから自分の住む世界以外のことに目を向けてほしい。大きくなくていい、変えようとすることが絶対的に正しいわけではない。毎日のニュースについて話したり、そんなことでいい。私たちは戦わなければならない。戦う敵は、理不尽なことすべてだ。

肌の色でも、外見への批判でも、性差でも、親の圧力でも、自分を嫌う人でも、政府への怒りでもなんだっていい。出る杭が打たれる時代は終焉しなければいけない」

ありがたいことに、この投稿には 300 件近いコメントがつき、フォロワーは 20 倍以上に増えた。でもそれ以上に嬉しかったのは、多くの「孤独」を抱える人たちからのメッセージがたくさん届いたことだ。その中には「死」を匂わせる文章も含まれていた。「孤独」は、緩やかに全身に回る毒のように、その人の心を蝕んでいく。受け取ったメッセージを読み返しながら、危機感を覚えざるを得なかった。

SNS で活動するために

今、日本の 15 〜 39 歳の一番の死因は自殺である。これは先進国の中で、日本と韓国だけだ。こう話すと語弊があるかもしれないが、つい頑張りすぎてしまう私たちは、自分の首を絞めながら、他人の首をも絞めている可能性がある。食べ物も緑も豊かなこの国で、少子化が起こり、若者の死因の 1 位が自殺であることについて、私たちはもっと真剣に向き合うべきなのだ。

現代の日本では、心の病を抱えている人の多くが医療機関を受診でき

ていないという現状がある。家を出て病院に行くまでの道のり、そして待ち時間を含めて、通院にはある程度の体力と気力がいる。何かしんどいことがあっても、「病院に行く」というハードルを考えるだけで、億劫になってしまう人たちは少なくない。医療機関を利用していない理由には精神科やカウンセリングへの抵抗感も挙げられるが、「しんどすぎて、外に出られない」人だって多くいるはずなのだ。

街ですれ違うだけの相手と簡単につながれることはSNSの利点でもあり、携帯を起動してアプリを開くだけなら、そこまで負担にならない。インターネットが普及している今だからこそ、私たち専門職ができることの可能性は無限大だ。しかし、臨床心理学のベースになっているさまざまな「学問」において、SNSの可能性は想定されていない。だからこそ、手探りをしながらでも、「今できる最大限の可能性」を模索していくことの大切さを感じている。私はSNSを使って「外に出られない人」に何かしらのアプローチができないかを考えた。

私が従事する「臨床心理士」とは非常に特殊な仕事で、基本的には狭いコミュニティの中で業務を行っていくことが多い。目の前の相手と信頼関係を築いていくことが主になるため、どうしても社会に精神疾患の現状を訴えていくことは難しい。考え抜いた結果が、Instagramでのフィード投稿だった。

私は女性で、自分の人生に傷ついたり立ち直ったりしながら生きてき
た、そんな「普通」の人間だ。あえてカテゴライズするならば、臨床
心理士で、女性のパートナーがいるというだけ。でももしかしたら、
その「ありのままの姿」で発信することが、時に誰かの心の拠^より所^{どころ}に
なり得るかもしれない。だからこそ、私の知っていることを、学んで
きたことを、問題として捉えていることを、とにかく伝え続けようと
思ったのだ。

こうして、「みたらし加奈」は誕生した。

臨床心理士として、SNSで発信する

臨床心理士という仕事は、現場でほかの職種との連携が求められる時もあるが、基本的にはクライエント（心理療法を受ける人）との信頼関係を築くことを主としている。医療関係者のコミュニティの中で問題について話し合うことはあったとしても、社会にそれを訴える機会は少ない。

そこで私が目をつけたのは、「SNSの活用」だった。匿名性の強いインターネットの中では、私たちは"ある意味"平等だ。だからこそ、クライエントと治療者という関係性にとらわれず、フラットに物事を発信できる。また、日本ではまだまだ自殺率が高いという現状がある。その中に「経済的理由」などの社会的要因が含まれている限り、臨床心理士の肩書きを持ちながら、メンタルヘルスや社会について発信をしていく意義を感じた。

前述のとおり、心の病を抱えている人の多くは医療機関を受診できていない。SNSを使って「外に出られない人」に何かしらのアプローチができないかと考えた結果、まずはじめに取り掛かったのが「無料相談メール」だ。私が実施した無料相談メールとは、「文字制限なしで、

１通のみ返信をする」というもの。「専門機関にかかりたくても、行く
きっかけがない」と考える人たちの背中を押したい、そんな気持ちで
始めたものだった。送られてきた相談の中には、例えば日常で起きた
小さなモヤモヤに関連することから、家族やパートナー、職場の人間
関係についてのもの、また性被害についての相談も多くあった。「対面
だと話せないようなことも、文字だと負担が少なくなる」と話してく
れた人もいた。

開設して１週間足らずで 300 件を超えるメールが寄せられた。そして
その多くは、「相談できる相手がいない」と締めくくられていた。夜中
にひと言だけ「死にたい」と送られてくることもあった。「同じ体験を
している加奈さんだから話したくなった」と言ってくれた人もいた。

誰もが皆、少なからず悩みを抱えながら生きている。そんなことは頭
ではわかっていた。それでも、無料相談メールを実施したことによって、
これだけ多くの人たちが１人で悩み苦しんでいるのかと肌で感じられ
たことは、私にとってとても重要なことだった。それと同時に、「自分
の悩みを誰かに相談できている人たち」はほんのひと握りで、現場で
働いているだけではカバーしきれていない現実にもショックを受けた。
自分が想像するよりも多くの人たちが、専門機関にかかる前の「第一
歩」を必要としているのだ。

友だちとケンカした、親とソリが合わない、孤独を感じている……そう話す多くの人たちが「こんなことで精神科やカウンセリングに行ってもいいですか？」と尋ねてきた。入り口は開いているはずなのに、その扉を叩くことすら躊躇してしまう人が多くいた。また、仮に病院に行ったとしても「話を聞いてもらえなかった」「薬だけ出された」と失望してしまう人たちもいた。

メールでは、言葉に細心の注意を払いながら返信をした。相手の文体を見ながら「どういう言葉が飲み込みやすいか」を考えた。漢字が多い人には漢字を多く使い、口語（話し言葉）的な文体の人たちにはなるべく専門用語は使わずに「わかりやすさ」を心がけた。また、症状が重そうな人には専門機関の説明をしつつ、「気軽に行ってみてください」と背中を押すような文章にしてみた。メールの最後には簡単なアンケートを添付し、匿名でフィードバックができる場所も設けた。

私にとってこれらの試みは初めてであり、物足りない部分も多かったと思う。しかしながら、多くの人たちが温かいフィードバックを書いてくれたのだ。それを読み返すたびに、ますます「もっと頑張ろう、精進しよう」という気持ちになったりもした。そして改めて、メンタルケアというものがもっと「当たり前のこと」になってほしいと感じた。

歴史上の偉人たちにも想定できなかったことが、現代にはたくさん起こっている。おこがましい考えかもしれないが、カウンセリングという行為は「広まる」ことに1つの意味があると思う。相談メールによって、自分が想像していたよりも多くの人たちが「助け」を必要としていることがわかった。この国に暮らすすべての人たちに「ケア」が行き届くために、私にできることを模索しているのだ。

自分のことを話す理由

以前、Instagram で「自分や身近な人が "そうかもしれない" という考えを持って、インターネットで精神的な病について調べたことはありますか?」というアンケートをとった。そして、86％の人たちが「ある」と回答した。次に、「『ある』と回答した方、その上で専門機関に行きましたか?(あるいは該当者を連れて行きましたか?)」というアンケートをとると、65％の人が「行かなかった」と回答したのだった。

これはあくまでSNSでとったアンケートであって、論文に載せられるほどの信頼性はない。しかし、「メンタルケアをしたいけれど、専門機関には行けない」と感じている人たちが多数いるという現実は否定できない。

メンタルケアに関する仕事は秘匿性が高いため、どうしても"内にこもったもの"になりやすい。ドアの向こうでどんなことが行われていて、支援者が自分に何をしてくれるのかを知ることが難しい。その上、日本には精神疾患に対する偏見もあり、ますます専門機関にかかるハードルが上がってしまう。当然、これからもメンタルケアの秘匿性は守られるべきではあるのだが、その一方で、インターネットという開けた世界で「メンタルケア」を広める必要はあると思う。

誰にだって、深い悩みを相談したい時もあれば、日々で起きた何気ない出来事を誰かに話したい時だってあるだろう。また、周りに「悩んでいる人」がいる時、自分では支えになりきれないしんどさだってある。だからこそ「気軽に相談できる場所」は大切で、SNS はその役割を十二分に果たせると信じている。

しかしながら、どうしても SNS で発信をしていると、同じ業界の人たちからは白い目で見られやすい現実がある。先ほども述べたように、本来「カウンセリング」というものは、扉の向こうで対面して行われるものであって、オンラインでのカウンセリングは前例がない。実はそういったサービスは世の中にいくつも存在しているのだが、日本ではまだまだ知名度が低い。また値段設定、時間や場所などの、カウンセリングで大切とされる「枠組み」を守ることも難しい。

実はカウンセリングというものは、

① 時間の制限（決められた時間にのみ行われる）
② 場所の制限（決められた場所でのみ行われる）
③ 料金の制限（決められた料金でのみ行われる）
④ 治療者の制限（毎回決まった人が担当する）
⑤ 攻撃や不法行為の制限（暴力や器物破損を行わない約束）

という 5 つのルールによって成り立っている。そしてこの枠組みはクライエントと治療者が、安全に治療を行っていく上で必要なものだ。

対してオンラインカウンセリングは、利用者のハードルが下がるため、実施する際には 24 時間体制を求める声も多くあるし、また、どこで接続するかによって場所は変わってくるだろう。対面していないからこそ、物理的に自傷行為などを制限することは難しい。同業者の中では、「今まで厳格に守られてきたカウンセリングの原則が崩壊してしまう」といった声も上がっている。だからこそクライエント側よりも、治療者側のほうで「オンラインカウンセリング」を拒む声は多い。

それでも、新型コロナウイルスの影響によって、オンラインカウンセリングを"しなければならない"専門機関も増えてきた。インターネッ

トを使って気軽に相談できる時代が来るとすれば、確実に臨床心理士のあり方は変わってくる。治療者の「得意分野」は可視化されるようになり、これからは「どこで相談したいか」よりも「誰に相談したいか」を選べる時代になってくるだろう。

私はSNSにおいて、自身の今まで体験したことを自ら発信している。例えばパートナーとのことや、性被害についても文章としてSNS上に残してきた。しかし、臨床心理士として学びを受ける中では、自分の生い立ちやバックグラウンドを公表することはタブーだと教わってきた。かの有名なジークムント・フロイトや、日本におけるカウンセリングの礎となっているカール・ロジャーズは自身のバックグラウンドについて書いているのに、私たちが「隠れた存在」として扱われることが不思議で仕方なかった。しかし、あくまで黒子に徹することが大切だと教えられたのだ。

それでも私が発信し続けたのは、「加奈さんだから相談しました」という言葉に勇気付けられたからである。本書の冒頭に添えた「最も個人的なことは、最も一般的なことである」というカール・ロジャーズの言葉の通り、自分の原体験が誰かの共感につながることもある。そしてまた誰かの原体験によって、自分の「問題」に向き合えることだってある。私はこれまで、インターネットから得る情報によって、救わ

れてきたこともたくさんあった。私はどこまでもオリジナルで、それはあなたとまったく同じなのだ。

それと同時に、あなたが今まで体験してきた苦しみは、決して「おかしい」ことなんかではない。必ずどこかに、同じような思いを抱える味方がいる。世界でたった1人、あなただけの味方になれたら嬉しい。それこそが、私がSNSで発信し続ける本当の理由である。

「 顔 」 は 隠 さ な い

みたらし加奈としてSNSで更新をしていると、時折「顔出しすること
に抵抗はありましたか？」という質問をもらうことがある。そしてそ
の質問をするのは、大体が同業者だったりする。それもそのはずで、
そもそも臨床心理士という職業には「日陰」の側面があり、メディア
などで活躍をする人は少ない。仮に目にするとすれば、ニュース番組
でコメントをする"権威ある"教授ばかりだ。職業の特性上、カウン
セリングにはたくさんの事情を抱えた人たちが来る。相手によっては、
「メディアで活躍をすること」が、ある種の「悪い意味での刺激」になっ
てしまうことも多い。私自身もSNS上で顔出しはしていたものの、実
際に勤務をしている時はノーメイクで質素な格好を心がけていたくら
いだ。クライエントファーストの職業だからこそ、治療者自身が表立っ
て目立つことがタブーとして扱われることもある。

それでも私が顔を出したのは、いくつかの理由がある。

まずは、インターネット上において私の嘘偽りない姿が「誰かの力に
なれる」と確信を持ったからだ。私はどこにでもいるような"女性"で、
毎日を楽しんだり悲しんだりしながら生きていて、大好きなパートナー

がいる。まだまだ日本では、精神疾患や"心の問題"に対する意識が低い中で、そんな等身大の"私"が社会に興味を示したり、精神疾患について考えたりする様子を「普通のこと」として認識してもらえたら嬉しかった。濃い化粧をして派手な服装をしたり、ピアスの穴だってたくさん開いている私でも、真面目な顔をしてメンタルヘルスについて考えたり、政治を語ったりする。1人の人間が"いろいろな側面"を持つのは決して「変なこと」じゃない、ということも体現したかった。

臨床心理に携わっている私だって、思い悩んで夜を明かしたり、劣等感に苛まれたりする時もある。過去には、自分自身を傷つけてしまうことだってあった。正直、顔を出してそれらをカミングアウトすることは、臨床心理士としてなんのプラスにもならない。しかし、私自身が乗り越えてきたことに「恥ずべきこと」なんてひとつもなくって、もしかしたら「誰かの普通」になれるかもしれない。そんな期待を持って、私は「みたらし加奈」として自分の姿を載せ始めた。

「顔を出す」ことによって得られた信用もあった。匿名性の強いインターネットだからこそ、「顔」が名刺になる時もある。生きている中で意識することは少ないかもしれないが、「顔」というのは最初に目がいく一種のアイコンだ。

スーパーマーケットなどで、野菜を持った農家の方の写真を見たことはないだろうか？ 誰が作ったかわからない野菜よりも、「この人が大切に育てたんだな」とわかったほうが安心感が増す時もある。顔写真を載せることは、「顔を出しているのだから、自分にマイナスになるような行動はしないだろう」という信頼感にもつながりやすい。

また、心理学には「ザイオンス効果」といって、「同じ人や物に接する回数が増えるほど、良い印象を抱きやすい」という説がある。半永久的に閲覧できるSNSだからこそ、仮に「一方的にページを閲覧している」だけでも、"接触回数"としてカウントをされる可能性は高い。さらにそこで顔写真を公開し「親しみやすさ」を感じてもらえたら、インターネット上でも高いザイオンス効果が期待できるのではないか、と感じたのだ。

実際に、顔を出す前と出した後ではたくさんの変化があった。例えば、多くの「悩みを抱えた人」に出会えたこと。自分の言葉が、多くの人に届けやすくなったこともそうだ。私を媒介することによって、たくさんの声を拾えるようになったことは、「顔出し」なしでは得られなかった利点である。

そもそも自分の抱える心の悩みというものは「信頼できそうな相手」

にしか打ち明けたくないものだ。自分の秘密を打ち明けるようなもの
だからこそ、やはり「自分が話しやすい」と想った相手を選ぶと思う。
また匿名性の高いインターネットでは、たとえ「資格」について書か
れていたとしても、虚偽である可能性だってある。外見でその人のす
べてがわかるわけではないけれど、例えばオンラインで相談をする際
に「顔を出していない臨床心理士」と「顔を出している臨床心理士」だっ
たら、後者のほうが多少なりとも安心してもらえる場合もあるかもし
れない。私がどんな雰囲気をまとっていてどんな発信をしているのか、
目で見てわかってもらえたほうが、相談者にとっては取捨選択がしや
すいはずだ。

そして何よりも、顔出しをしていたほうが「メディアから取り上げら
れやすい」というのもひとつの利点である。取材や撮影をしていく上
でも、その人の「顔」が出ていたほうが信頼を寄せられやすい。メン
タルヘルスについて広く知ってもらったり、助けが必要な人に声を届
けるためにも「拡散力」がほしかったのは事実である。カウンセリン
グやメンタルケアというものを一般的に浸透させるために、「自分をケ
アすることは当たり前」だということを広めていく必要があった。し
んどい思いを抱えている人や「社会に届けたい思い」がある人の助け
になりたかったからこそ、私はメディアの力を必要としていた。

自分発信からメディア発信へ

初めて私がメディアに取り上げられたのは、「Be inspired!（現 NEUT Magazine）」の取材だった。「メンタルヘルスの偏見をなくしたい！メンタルケアの重要性を広めたい！」と心では思っていたものの、実際に取材の申し込みをいただいた時には迷いが生まれてしまった。前述したとおり、臨床心理士という職業はクライエントファーストの仕事で、治療者自身が表立って目立つことがタブーとして扱われることもある。加えて、私はまだまだ臨床心理士としての経験も浅い。「こんな自分に想いを伝える資格はあるんだろうか……」と何日も悩んだ。

そんな時、パートナーの美樹が「加奈ちゃんにしか話せないことがたくさんある。少しでも迷いがあるなら、出てみるべきだよ」と背中を押してくれたのだ。正直、パートナーのこのひと言がなかったら、私はその一歩を踏み出せていなかったと思う。そこでインタビュアーに「私は臨床心理士として物を申す境地には達していないので、私だからこそ話せることをお伝えしてもいいですか？」と正直に話すと、快く承諾してくれたのだった。

タイトルは『「苦しいなら逃げてもいい」。20 代の臨床心理士が、我慢

を美しいと考える日本人に伝えたいこと』。

自分が思っていたよりも、記事は大きな反響を生んだ。この記事がきっかけとなり、さまざまなメディアからお仕事をいただくこととなる。そこで私を取り上げてくれる人たちは、それぞれ違った背景を持ちながらも、誰もが「メンタルヘルスについて考えることの重要性」を感じてくれていた。

ある人はうつ病を患った経験があったり、またある人は「友人の自殺」を経験していたり、自分の悩みを打ち明けられずに苦しむ人や、すでにメンタルケアを広める活動をしている人だっていた。日本における精神疾患への偏見や、自殺率の高さ、悩みを打ち明けられない環境……今まで私がお仕事をしてきた人たちの多くは、それらの問題を「他人事」として捉えていなかった。「この記事（動画）を受け取った人たちが少しでも生きやすくなってくれたり、世の中が良い方向に変わっていってほしい」という情熱や愛情が伝わってきた。私の知らないところで、こんなにも必死になって「世の中を変えよう」と頑張ってくれている人たちがいるんだ、と胸を打たれた。その思いに少しでも貢献できればと思い、私はメディアからの依頼を積極的に受けるようになっていった。

情報発信の難しさと重要性

スマートフォンが普及したことによって、メディアとの接触時間は大幅に増えた。ウェブサイトを開けば、たくさんのニュースサイトにヒットする。私たちの世代は幼い頃からインターネットを利用しているため、インターネットとの親和性が高く「デジタルネイティブ」と呼ばれることもある。朝から晩までインターネットとつながっているからこそ、時にはそこから入る情報によって人生の価値観などが大きく変わることもある。だからこそ、臨床心理士として発信していく中で、「間違った情報」を出してしまわないように特に気をつけている。また「発信する側」として、できる限り日頃からたくさんの情報に触れたり、分野や学問を問わずに勉強をするようにしている。

ある時期から、「フェイクニュース」と呼ばれる粗悪なメディアや記事が大きな問題となった。2016 年に起こった熊本地震の時には、動物園からライオンが逃走しているというフェイクニュースが流れ、動物園や警察に問い合わせが殺到した。そのほかにも、医学的に根拠のない情報を流す医療関連記事や、過激な意見ばかりを並べるまとめサイトなど、誰もが気軽にページを立ち上げられるからこそ、情報を受け取る側が気をつけなければならないことも増えてきた。しかしながら信頼できそうなメディアだからと言って、情報の正しさやリテラシーが伴っているとも言い難い。

とある番組で「女性専用車両に乗りたくない女性が増えている」と報じられた。「マウンティングの取り合いで戦場と化した女性専用車両」といった旨の内容に、SNSでは多くの女性が声を上げた。結果的に、取材に答えた女性が「内容が正しく伝えられていない」と訴え、番組内で訂正・謝罪をするという騒動があった。その騒動があった時、私が感じたのは「放送する前に、メディア側にもそれらの情報の正確性について異議を唱える人はいなかったのか」ということだった。

どんな媒体のメディアであったとしても、結局それらを作っているのは人間であり、「発信する側」の倫理観によって情報は大きく左右される。私自身、メディアからの取材を受けてきた中で、「そういう伝え方はしていないのにな……」と思うことは何度かあった。ただその時は「こちらの伝え方が悪かったのかもしれない」と考え、先方には丁寧な文章で再度訂正をお願いした。

特に「当事者」がいるような話は、情報の齟齬が生まれやすい。それもそのはずで、特に人の内面が関わってくるような話には、それぞれの人生観が大きく影響している場合がある。例えば「LGBTQ」とひと括りに言ったとしても、そこには十人十色のセクシュアリティがあり、「ゲイだから、同性婚に賛成」という人もいれば「ゲイだからこそ、同性婚に反対」という人だっている。それは精神疾患にも言えること

で、「うつ病だけど、これはできる」とか「うつ病だけど、これはできない」など、人それぞれだ。

当事者ではない人が「その分野」を扱う際に、"カテゴライズ"をして結論づけてしまうことは多くある。私だって、気をつけなければ同じことをしてしまっていたかもしれない。大切なのは「人によって違う」ということを、頭の隅に置いておくことなのだろう。

私がメディアに出演したことで気がついたのは「誰だって人を傷つけてしまう可能性を持っている。だからこそ些細なニュアンスだったとしても、情報を発信する時には細心の注意を払わなければならない」ということであった。また、自分の「知識の正しさ」を、もう一度考え直すきっかけにもなった。どんな媒体であったとしても正しい"情報"かどうかを見極め、自分の頭の中に正しい"知識"をインプットすることは重要である。その情報は、「私情」によって歪められていないだろうか。どんな背景を持った人が見ても、その情報には「正しさ」が含まれているだろうか。言葉尻によって、傷つく人はいないだろうか。それでも人間だから、難しいことはたくさんある。大切なのは、「気をつける」を気をつけることなのかもしれない。

世の中には、自分が思っている以上に良いサービスや、誰かのために

なるような支援がたくさんある。カウンセリングだって、資格を持っている人たちが行っているような「気軽に相談できる」アプリやサイトは実はたくさんあるのだ。しかし、多くのサービスの認知度は低く、結果的に多くの人たちは「相談したい時にできない」という認知につながってしまう。「社会貢献」の難しいところは、「その活動が認知されることによってより一層大きな意味を持つ」ということだ。本当に必要な人にその情報が届かなければ、骨折り損になってしまう場合だってある。それは、自分自身が「発信者」になって初めて気がついた。だからこそ、社会について問いかけてくれたり、それらのサービスを周知してくれるようなメディアがあるのは本当にありがたいことで、私自身もそれらのメディアが発信する「情報」に救われてきた。

メンタルヘルスと社会情勢

「Be inspired!」の記事から始まり、今ではたくさんのお仕事をいただけるようになった。メンタルヘルスケアのことだけではなく、LGBTQやジェンダー・ギャップ、ついには星野源さんのMVにまで出演させていただいた。お受けする仕事の種類はさまざまではあるが、自分ルールとしては「社会的な意義を持っているもの」のみをお受けするようにしている。自殺の要因に「貧困」が含まれていたり、差別や偏見によって心の健康を保てない人たちがいる限り、私は“メンタルヘルス”

と"社会情勢"を切り離しては考えられない。

　だからこそ、少しでも多くの人たちが「生きやすい」と感じられるような世の中にするために、誰かが前に出て活動していかなければならないのだ。個人的な望みとしては、メンタルヘルスに関わる従事者にはできる限り「SNS」を活用してほしいと考えている。現代にはさまざまなツールがあって、例えばYouTubeで心の健康教育についてわかりやすく発信したり、メンタルケアを身近に感じられるようなチャンネルがあってもいい。難しい専門用語ではなく、若者に少しでも興味を持ってもらえる取り組みをしたり、そういった少し前衛的な姿勢を持つ人が増えてくれたら嬉しいと感じている。

　また情報を受け取る人たちにも、常に「？"Question"」を持って生活していってほしい。例えば興味が湧いたニュースに対しても、知的好奇心だけを満たして自己完結させるのではなく、「なんでこの人はこう感じたのだろう」とか「この背景には何があるんだろう」という思考力を持つことは大切だと思う。そこで身についた思考力は、いつか壁にぶつかった時に必ずあなたを助けてくれる。

　新型コロナウイルスが広がり始めた時、非常にたくさんの「デマ」が拡散された。特定の品物が売り切れてしまって、本当に必要としている人たちに届かなくなってしまうことだってあった。「情報に踊らされ

る」というのは、時に自分自身の命に関わることだってある。まずは自分の身を守るためにも、思考力や「必要な情報を嗅ぎ分ける力」を持つことは重要なのだ。そして、多くの人がそれを意識して生活するだけで、社会はより良くなっていくと私は信じている。

もしもあなたが、「こんな良い活動があるのに全然広まらない！」と感じたり、思考した結果の「？"Question"」を持っているなら、ぜひとも私にシェアしてほしい。多くの人が「当事者意識」を持って、発信したり受け取れるような「居場所」作りを目指して、私は今日も電子機器を起動させる。

自分の小さな行動が、誰かのためになることを願って。

第 2 章

愛されたい

仲間に入りたい

ここからは、少しだけ私の生い立ちについて話をさせてほしい。

東京で生まれた私は、祖父母が大好きなごく普通の女の子で、休日の大体は祖父母と一緒に過ごしていた。特に祖母は私のことを溺愛してくれて、いろんなことを教えてくれた。祖母と2人でキッチンにいる時は、トマトに砂糖をつけて食べたり、すり下ろしたリンゴを食べさせてくれた。祖母と一緒に入るお風呂が大好きだった。祖母が付けてくれるシャワーキャップは、私にとっての王冠と同じだった。

妹が生まれた時のことは、正直言ってあまり覚えていない。母曰く「かわいがっていた」らしい。離乳食にも移っていない妹の前に食べ物を置いたり、「美容室」と言いながら妹の髪を切ることもあったそうだ。母からすると肝を冷やす出来事ばかりだったが、私はとにかく「妹」という新しい友だちができたことが嬉しかった。

皆さんは、「第2子が生まれると、第1子が嫉妬をする」といった話を聞いたことはないだろうか？

それらの行動は、心理学用語で「カインコンプレックス」と呼ばれたりする。カインコンプレックスとは兄弟姉妹間の心の葛藤であったり、競争心、または嫉妬心のことを指す。特に第2子が生まれた時には、目の離せない新生児への世話に集中することで、第1子への対応に戸惑いを覚えることもあると思う。そしてカインコンプレックスを抱いた第1子は、親の気を引くために「赤ちゃん返り」をしてしまう。ただでさえ、赤ちゃんの世話で手一杯な親御さんからしたら、第1子の「赤ちゃん返り」に驚いてしまうこともあるだろう。でもそれは、"正常なSOSの出し方"なのだ。そしてそのSOSは、親以外の人たち（例えば祖父母や保育園の先生）によって、解消されることがある。私の第一次カインコンプレックスを解いてくれたのも、祖母だった。

しかしながら、祖母との時間はあっという間に終わってしまう。父の仕事の都合で、私たちは都外に引っ越すこととなったのだ。祖母と離れた私は、その寂しさから「空想の友達＝イマジナリーフレンド」や男の子の友だちと遊ぶようになった。男の子たちがサッカーなどをして遊ぶ時、運動の苦手な私はイマジナリーフレンドとの遊びに夢中になった。

イマジナリーフレンドというものは、子どもにとっての「救い」のひとつとして捉えられることも多い。主に、子どもの心を支える仲間と

して機能することもある。空想の友だちを「本当の友だち」と認識して、おままごとをしたり、コミュニケーションを取ったりするのだ。幼少期にイマジナリーフレンドを持つ子どもの割合は10〜30%とも言われている。一説によれば、長子や1人っ子に多く見られるそうだ。その現象は早くて2歳半から見られ始め、就学前には消失するという。イマジナリーフレンドを持つということは決して「異常」なことではなく、子ども自身の「適応能力」のひとつでもあるのだ。

話が脱線してしまったが、そうやってようやく幼稚園での人間関係や自分の立ち位置を確立し始めた頃には祖母が危篤状態となり、再び東京で過ごすこととなった。

東京での新しいスタートは、私にとってあまりよい思い出ではなかった。肺がんによって祖母を失った私は、大きな喪失感に駆られていた。また東京で入園した幼稚園には、すでに園児たちの人間関係ができ上がっており「グループ」というものに入る必要があった。しかしながらイマジナリーフレンドと心を通わせていた私は、「子どもの中の流行り」に疎く、同じクラスの子どもたちの話す「ポケットモンスター」がまったくわからなかった。

ある日、小さかった"加奈"は泣きながら母に訴える。「ママ。幼稚園

に行きたくない。ポケモンを知らないと仲間に入れてもらえない……」
と。慌てた母はその足でおもちゃ屋さんに行き、ポケモンの名前が記
されたトランプを買ってくれた。そして、カタカナの読めない私のた
めに、すべてのポケモンの名前にひらがなに書き加えてくれた。私は
その 52 枚のカードを必死に頭に入れた。明日の幼稚園で楽しく過ご
せるように、仲間外れにされないために、それはもう必死だったと思う。

無事にポケモンを覚えた私は、次第に自分の立ち位置を確立していっ
た。「知ることで、苦しいことから解放される」という私のベースは、
ここでできたのかもしれない。

ただ、ここでも私は、男の子と遊ぶことが多かった。子どもは、5〜
6 歳ですでに「性役割」の概念を習得していると言われている。もち
ろんその子の性質などにもよるとは思うが、多くの幼児が過ごす保育
所や幼稚園では、衣類や持ち物、保育者の働きかけや幼児同士の関係
性の中で、「性役割」を敏感に感じ取っているのだ。だからこそ、私
自身は女の子が好みやすい「おままごと」が本当に苦手だった。与え
られた「役」に沿ってコミュニケーションを図ることに違和感を覚え
ていたのだ。"男の子として"遊んでいるほうがずっとずっとラクだっ
た。しかし、そんな私に対して「私の好きな子と遊ばないで！」と敵
意を向けてくる女の子もいたため、いつもどこか居心地は悪く、依然

として幼稚園内での人間関係は不安定だった。

このエピソードからもわかるように、幼稚園の時の私は、子どもながらに「不安」になる要素が多くあった。父も母も、そして祖父母も私を愛してくれていたし、妹だってかわいかった。しかしながら、度重なる転園や環境の変化、妹の誕生や祖母の死去により、「一貫して安心できる場所」はなかったのだと思う。また、父の仕事も忙しく、母がワンオペで子育てをしなければならない状況も大きく関係していた。

人間が生まれて初めて触れる「人間関係」は、その後の人生に大きく影響する。例えば、親子関係や兄弟、保育園での人間関係などが該当するだろう。記憶の隅に追いやってしまうようなエピソードでも、その人の核となっている場合がある。子どもにとって「環境の変化」というものは、完全に予測ができないものなのだ。もちろんそれらは「悪い」ことばかりではなく、「良い」刺激として受け取られることもある。しかしいずれも、「ベース」になっていくことに変わりはない。私のケースでは、度重なる環境の変化によって「臨機応変さ」を学習できた面は大きかった。一方で、幼稚園での「最初の人間関係」に失敗したことによって、「希薄な人間関係」に心地よさを覚えてしまった面もあった。良くも悪くも、ここから私の人生はスタートしていったのだ。

「お受験」の失敗

　私の両親は、「教育」に対して非常に力を入れていた。彼らの生きて
きた時代は「学歴社会」の真っ只中。偏差値の高い大学こそ、質の
良い教育を提供していると考えている側面があった。だからこそ、私
は幼稚園の時から「偏差値の高い大学」にエスカレーターで上がれる
ような小学校受験を余儀なくされていた。小さい頃から「質の良い教
育」をしてくれるであろう学校に入学させる──そんな両親の考え方
には、「愛」が含まれていたと思う。しかしながら、その当時の私は
「じっと座っていられない」「集中力が途切れる」、そして「勝負に弱い」
部分があった。いわゆる"お行儀の良い"子どもではなかったと思う。
結果的に、両親の努力は水の泡となり、私は"お受験"に失敗した。
そして、近所の公立校に通うこととなった。

　とはいえ、「失敗」という言葉を使うことがはばかられるほど、公立校
は本当に楽しく、素晴らしい先生がたくさんいた。友だちにも恵まれ、
毎日楽しく学校に行っていた。学芸会では、主役を演じたこともあった。
私の義務教育の始まりは明るい光で満ちているように思えた。

　それでも、いつもどこかに「両親の期待に添えなかった」という"影"

はつきまとっていたのかもしれない。その後、両親のすすめで編入試験を受け、私は私立の小学校に転校をすることになる。

その学校も、大学までのエスカレーター校ではあったが、いわゆる「MARCH」クラスの学校ではなかった。結果的に私は、その私立校に大学まで通うこととなるが、これが私の「学歴コンプレックス」の始まりとなった。

学歴を重視する風潮は、現代でも残っているとは思う。大切なのは「どんな教育を受けてきたか」であるはずなのに、それは「学歴」という大枠によって評価を受けやすい。だからと言って、「学歴」が高い学校が「良い教育をしていない」ということではない。学校選びに重要なのは、「その子自身に合っているか」どうかだと感じている。

私が通っていた学校は、偏差値こそ高くはないものの、教育には非常に力を入れている学校だった。広大なキャンパスには畑が耕され、さまざまな動植物が存在していた。その中で、私は孔雀の飼育係も経験した。月に１度は「畑いじり」の授業があり、生命の成り立ちを肌身で実感できた。キリスト教の学校であったため、週に１度は礼拝があり、自分自身と向き合う機会が与えられた。音楽祭では、ベートーベンやモーツァルトの曲を、楽譜なしで合唱できるスキルを身につけられた。

今思えば、本当に素晴らしい学校だったと思う。決して強制をすることなく、子どもたちが楽しく「教養」を身につけられる教育をしていた。「いじめ」こそあったものの、自分の学校のシステム自体には満足をしていた。もし将来、自分の子どもが大きくなったら、同じ学校に入学させたいくらいだ。

しかしながら当時の私は、すべてを斜に構え、自分の学校を誇ることができなかった。ひどい時には、学校名を聞かれたとしても、はぐらかしてしまう状態だった。学校は楽しい、しかし一歩外に出てしまうと「鎧のない弱者」になった気分だった。私にとって「学歴」とは強大な鎧で、それなしでは他人から笑われたり、社会に出ることすらできないような気持ちになってしまっていた。

両親は決して、「学歴のない私」を責めたことはなかった。しかしながら、無言にも漂ってくる「諦め」のようなものを、幼いながらにも感じ取っていた。同時に、学歴を誇る人と出会った時の「ふ〜ん……まぁ女の子だもんね〜」という反応にも、少しずつ傷ついていった。「あなたは女の子だし、就職しなくても男性に食べさせてもらえるでしょ」という、今思えばツッコミどころ満載の反応だってされてきた。自分の学校はいいところなんだよ！ いい先生だってたくさんいるんだよ！ という思いも、心ない人たちの前では「言い訳」に過ぎなくなってしまうと感

じていた。

そのうち私は、「女の子だから」という牢獄に自ら入っていくように、「女の子の持つべき愛嬌」を手に入れたいと考え始めるようになってしまった。

当時、私が女の子が持つべきだと考えていた愛嬌は、次の10個だ。

【女の子が持つべき愛嬌10カ条】
1. 相手の話は笑顔で聞くこと
2. たまに"わからないふり"をしてみること
3. 教えてもらったら感謝の気持ちを伝えること
4. 少し潤んだ瞳で、守りたい存在になること
5. たまには強さを見せて、相手を包み込むこと
6. 相手を受け入れる器を大きく持つこと
7. 嫌なことがあっても顔に出さないこと
8. お礼のメールは日が変わる前に送ること
9. でしゃばり過ぎず、多くを語らないこと
10. 感情的にならないこと

今となっては、文字に起こすだけでゾッとするようなこの10カ条を、

当時の私は「正義」だと思っていた。もし相手の気分が悪くなったとしたら私に責任があって、「この10カ条を守れていないから」だと考えてしまっていた。

もちろん、社会に出たあとに、この10カ条によって「自分の立場が優位になる」ことだってあった。しかしながら、それは私にとっては苦痛でしかなかった。こちらが型に当てはめられた反応をしないと「気持ちよくならない」相手なんて、本来、私の人生に不必要なのだ。

でも、幼い頃の私にはわからなかった。そのことを教えてくれる相手もいなかった。10カ条のようなことを説いてくる大人はいても、「そんなことしなくていいんだよ」と言ってくれる人はいなかった。

"自分にとって良い環境"で学ぶ

臨床心理の大学院を受験する時、私は初めて「学歴」にとらわれずに「行きたい学校」を見つけることができた。志望理由は「私の通っていた学校に雰囲気が似ている」、ただそれだけだ。面接でも、そう話した記憶がある。志望校をひとつに縛り、その大学院に受かるための努力は惜しまなかった。「縁を感じた」——ただそれだけが私のパワーの源だった。

晴れてその大学院に入学することができた私は、今まで世間の固定観念にとらわれ、目の前にある物事の"質"を吟味できなかったと悔やむようになった。自分にとっての「良い環境」に、世間の基準なんか関係なかった。皆にとって居心地の良い場所が、私にとっても居心地が良いとは限らないし、本当に「好きなこと」を見つけた時には、誰かの評価なんて気にならなくなる。大好きな母校に迷惑をかけたくはないので、あえて出身校を伏せて活動をしているが、大学も大学院も、今では私にとって大切な場所になった。

私に相談をしてくれる人の中にも、「受験」や「就職活動」に悩んでいる人は少なくない。中には、世間が決めた「学歴社会」の呪縛から逃れられずに苦しんでいる人たちも多くいた。

もし、あなたが今の私の生き方を見て、少しでも魅力を感じてくれるのであれば「学歴は関係ない！」と胸を張って言える。インターネットでも多くのことを学べる世の中になってきた。教室に行けない子どもたちが YouTube でスキルを身につける、なんて話も聞いたことがある。何かの資格を取りたくて学校選びをする際には、そこにいる教師について事前に調べることも可能になった。あなたにとっての「素敵な場所」は、あなたが決めていいのだ。

結局は世間の基準なんて、都合よく書き換えられたものに過ぎない。

学歴があってもなくても、学校に行っても行かなくても、あなたはあなたの「やりたいこと」を見つけられたら最高だし、たとえタイミングを逃したとしても教育の機会はどこにだってある。

何歳から勉強を始めてもいいし、そこにリミットなんてない。

「学歴」に悩む人たちに、この文章が届いたらいいなと思っている。

小学生で体験した疎外感

幼稚園での２度の転園、そして小学校４年生での転校を経験した私にとって「仲間外れにされる」という現象は、ある意味、自然に近いことだった。人間にとって「異質なもの」を排除したいという欲求を持つことは、不自然なことではない。年齢を問わず、人間が３人以上集まればそこはもう「社会」だ。

グループの中にはさまざまな役割を持つ人たちがいて、時に利用し合ったり、消費されたり、傷つけ合ったりすることだってある。転園や転校によって「よそ者」になることが多かった私は、「加害の矛先」となることも容易かった。

「いじめ」の標的にならなかったとしても、学校や会社という特殊な社会で、しんどい思いをする人たちは多いだろう。精神科に勤務していた時、４月や９月は外来が混雑する印象だった。その理由には「環境が変わる時期」ということも含まれる。ただでさえ今までの環境が変わってストレスを抱えているのに、新しい学校や職場で人間関係に悩む人はとても多い。そんなあなたに、この文章は書かせてほしい。

私自身が最初に「よそ者」として扱われたのは幼稚園の時。前述したように、東京の幼稚園に転園してきた私は、「ポケモンを知らない」という理由で「ともだち」の称号を外された。ポケモンを知れば、今度は「サンタさんの正体を知らない」との理由で、仲間に入れてもらえなかった。

次は小学校4年生の時だ。転校先の小学校にやっと馴染めてきた頃、私には気になる男の子ができた。早速クラスの子にそれを伝えたところ、次の日には皆に知れ渡っていた。冷やかしを受けた私は、頭が真っ白になり「なんでバラしたの!?」とクラスメイトを問い詰めた。「え、だって秘密って言われてなかったし……」と意地悪に笑うその子の顔を見ながら、「あっ、私の存在を歓迎してないんだな」と即座に感じ取った。その瞬間、私は「クラスの最下層」に落とされたのだ。一生懸命に取り繕って、上手に馴染もうとしていた気持ちが、ガラガラと崩れていく音がした。「取り返しのつかないことをしてしまったかも……」と、お腹が痛くなるくらいだった。

それから、私の触れた場所は「"加奈菌"が付いた場所」として扱われるようになる。「転校生」として注目を集めていた立場から、一気に「最下層の存在」になってしまうスピードに心がついていけなかった。

その当時、クラスでは「ジャンケンで負けた人が皆の荷物を持つ」という遊びが流行っていて、私はたとえジャンケンに勝てたとしても、強制的に荷物を持たされた。身長も低く、体力もなかった私に数人分の荷物など持てるはずもなく、重くのしかかるカバンを引きずりながら歩いた。前方からは、「ねぇちょっと！ 私のリュックが汚れるんだけど！ 最悪～！」という声がこだましていた。「加害されている」ことを自覚すればするほど、惨めな気持ちになって、「せめて気持ちだけは明るくいよう」と、私はヘラヘラと笑った。目の前にある悪意を、私自身が「悪意」として受け取らなければ、この事態は収束するかもしれないと思った。

しかし、状況は悪化するばかりで、相手も「加奈は笑っているから大丈夫」と、行為をエスカレートさせてきたのだった。荷物を返すと、リーダー格の子が「ヘアピンがなくなってる！」と騒ぎ出した。私は申し訳ない気持ちになって、「ごめんね。荷物が多かったから」と言った。「探してこいよ！」と言われ、歩いてきた道を何度も何度も往復した。結局ヘアピンを見つけられないまま戻ると、すでにそこには誰もいなかった。リーダー格の子を怒らせてしまった焦りと、これからいじめが加速していく未来を予想し、「明日からどうしよう……」と座り込んだ。その日は食事が喉を通らなかった。

　　　　　　　　　　　　　第2章　愛されたい

次の日登校した私は呼び出され、「ヘアピンをなくした罰」として冷水機の水をかけられた。眼鏡が水に濡れたため拭いていると、パンッと手を叩かれた。眼鏡が落ちて手を伸ばそうとすると、1人が足で眼鏡を遠くに蹴りあげた。慌てて追いかけて手に取ると、鼻あてが壊れている。その瞬間、私の中で何かが弾ける音がした。「加害され続けること」に限界を迎えていたのだ。

その時、私は思った。世の中には「食う側」と「食われる側」がいて、こちらが相手の脅威にならない限り、その連鎖は続いていくんだと。それを肌身で理解した私は、その日の帰りにヘアピンを買いに行った。次の日の昼休み、リーダー格の子を呼び出した私はヘアピンを返してこう伝えた。「あんたが今悩んでいることは、私をいじめているから起こってることなんだよ！ 謝らない限り、つきまとうから覚悟しな」と。

今でこそ、その言葉選びはいかがなものかと思うが、想像力の豊かな小学生に効果はテキメンだった。

あまりの勢いに驚いたのか、その子はひと息ついてから「ごめんね」と言った。1対1で彼女に立ち向かった瞬間、私は彼女のキャパシティを超えたのだ。その時の状況から見ると、「相手の予想外の範囲に飛び出すこと」と「相手が何に驚くかを突くこと」こそが、加害の連鎖

から抜け出す鍵だった。これは、いろんな場面で応用できると思う。そもそも、人の痛みを想像できないからこそ、加害行為を行えるのだ。そんな彼らにいくら「苦しい」とか「悲しい」と伝えたところで、共感は得られない。だからこそ「彼らに驚きを与える」ことで私は身を守ろうとした。

それから私はそのグループを離れ、1人で過ごすことを選択した。そして「1人ならこっちにおいでよ！」と声をかけてきてくれた子たちと、行動を共にするようになった。

"範疇を超える人間"でいるための化粧

中学に上がり、私は「見た目を強くすれば加害の対象にならない」という自分なりの答えを見つけ出し、「おとなしそうに見える」要因のひとつでもあった眼鏡をコンタクトに変えて、化粧をするようになった。

私の中学は校則が厳しく染髪やメイクは禁じられてはいたが、私は先生からの叱責よりも同級生からのジャッジのほうが怖かった。化粧はナチュラルメイクというよりも「戦闘用」のような派手なメイクを好み、髪も茶色く染めていた。先生や母親に指摘されれば黒く染め直すが、それでも1週間後には茶色に戻していた。見た目を強く見せるこ

とによって避けられた「加害」は、性加害だけではなく「いじめ」も含まれているような気がした。

「相手のキャパシティを超えると加害の連鎖から抜け出せる」と学習していた私は、まずは見た目から「範疇を超える人間」を目指そうとしたのだ。中身を変えることよりも、見た目を変えたほうが、私にとってはずっとずっとラクだった。もう二度と、自分で自分の恐怖をコントロールしたくなかった。舐められて加害を受けるなら、怖がられるほうがラクだったのだ。

中学生の多感な時期、噂はあっという間に広まっていき、私は完全に「なんか怖いギャル」としての地位を確立した。コンプレックスを抱えていた人間が権力を手にすると独裁政治をし始めるように、私の言葉はどんどん厳しいものになっていった。ただひとつの救いは「相談役」としての役割を担っていたことだけだ。でも、相談に来る子たちに対して「世の中は食うか食われるかだよ！」という極論を押しつけていただけだった。

中学2年の終わり頃、そんな時代にも終止符が打たれる。私は再び「仲間外れ」になった。私に対しての「笑顔」が少しずつ減っていき、スルーされたり、グループ内での「秘密」が共有されなくなってくる。私か

らの誘いには、誰もが曖昧に返事をした。理由は簡単だった。言葉の
キツさに対するツケが回ってきたのだ。

これまで「見た目で周囲をコントロールできている」と思い込んでき
た私は愕然とした。そして「見た目や言動で人の想定を上回ろうとし
ても、結局は底が知れる」ということを知ったのだ。言動に中身が伴っ
ていなければ、人は簡単に離れていく。ある日の放課後、リーダー格
の子が「加奈について皆で話し合いがしたい」と伝えてきた。いよい
よ X デー、私はこのグループから外れることになる。「それでもいい
かな」なんてぼんやり思っていた。

話し合いの内容は正直あまり覚えてはいない。リーダー格の子に促さ
れるまま、端から 1 人ずつ「加奈の嫌いなところ」について語りかけ
てきた。どうしていいのかわからないまま「そっか」と言うと、「それ
だけ?」と聞かれた。私が「うん」と言うと、納得できない表情をし
ながら周りが目配せを始めた。そこにはもう完全に、私の知っている
共通言語は存在していなかった。「中学校の人間関係」というもっとも
不安定で揺るぎやすい状況の中で、私は疲れすら感じ始めていた。「今
は笑っていても、どこかで悪口を言われてるんじゃないか」とか「こ
の子は人気者だから一緒にいたら、仲間外れにされないかも」なんて
考えなければいけないことがバカらしく思えてきた。

その日を境に、私は「グループに属す」ことをやめた。そんな時に、後述する生涯の親友に出会えたのだった。皮肉にも、自ら求めることをやめた時に初めて、心の底から信頼できる友人に出会えたのだ。「友だちは作るものではなく、できるもの」だということを私は身をもって感じた。

私が知る限り、故意的に人が集められる場所（例えば学校や会社など）には必ず大なり小なり「グループ」というものが存在する。その中には部活動のようなグループもあれば、「仲良し」同士で作られるグループだってあるだろう。太古から人間は「集団」として機能することによって、文明を発達させてきた。人間が複数人集まれば、何かしらのグループができることは自然なこと。それを頭ではわかっていながら、私は「どんな環境に身を置いたとしてもグループは存在する」ということに衝撃を受けた。

もしこの本を読んでいるあなたが学校に通っていて、「友だちグループ」なんてものにうんざりしているのであれば、この情報は絶望的なものになり得るだろう。でも心配する必要はない。「人という文字は、支え合ってできている」なんて言うけれど、支え合いたい相手は自分で選ぶことができるのだ。いつだって選択肢はあなたの中にある。

好きでもないような人に話を合わせたり、ご機嫌取りをしたりするの
なんて、人生にとってなんのプラスにもならない。今は「インターネッ
ト」という逃げ場所があって、同じ趣味を持った人とSNSでつながれ
るようになったことは、大きな利点でもあると思う。

だから安心してほしい。今あなたが住んでいる世界は、あなたが思っ
ているよりもずっと「一時的」なものだ。

もしそこが「好きな場所」であれば、その場所に生息している人たち
とずっとずっとつながっていればいい。もしそこが「嫌いな場所」で
あれば、あなたの居場所はどこにでもある。あなたの置かれている「苦
しい環境」は世界のすべてではない。そこの人間関係は、抜け出した
途端に必ず変わる。猫が水の中で、魚が陸の上では生きられないよう
に、「息ができない」場所が存在することは変なことではないし、あな
たが悪いわけじゃない。世界は本当に広くて、人間はいつだって小さい。
あなたの生きやすい場所は、必ずどこかにあるのだ。

それはもしかしたら「場所」に限らないかもしれない。「道具」を見つ
ければいいのかもしれない。この本が、あなたの「息のしやすい場所」
を見つける道具になれたら、どれほど嬉しいだろうか。

文章との出会い

私は内気でこだわりが強く、いつも空想の世界で生きているような少女だった。幼稚園では、カブトムシの幼虫を見つける遊びに没頭したり、木の精霊である「ミドリちゃん」と遊ぶことが好きだった。前述したイマジナリーフレンド（空想の友達）は、このミドリちゃんのことだ。

イマジナリーフレンドは、子どもの発達段階において極めて重要な役割を果たす。幼稚園を何度か転園した私にとって、「空想の友だち」は大事な存在であり、それは小学校入学後も変わることはなかった。

小学校1年生から3年生までを公立の小学校で過ごした私は、4年生の時に編入試験に合格し、私立の小学校に転校した。地域の子どもたちが集められる公立小学校と、受験を経て入学した子どもたちが通う私立の小学校のギャップは大きく、私は戸惑いを覚えていた。

転校先の小学校では、運動神経や身体的な特徴を責められることもあった。同級生は私を「太っている」とか「鈍臭い」という言葉で象徴した。ほかの人たちの中に「自分の知らない自分」がいることを発

見した私は、深く深く傷ついた。眼鏡を蹴られた時は、壊れたレンズを眺めながら「どうしてだろう」とミドリちゃんに問いかけた。

でも、ミドリちゃんが答えてくれることはもうない。すでに消えかけているミドリちゃんに失望した私は、人のいない図書室に逃げ込むようになった。そこで、奇妙な挿絵の本と出会った。タイトルは『はてしない物語』。身体的特徴を理由にいじめを受けていた少年バスチアンが、逃げ込んだ先の古本屋で『はてしない物語』という本を見つけ、その世界に入り込んでいくという話だ。この構造は『不思議の国のアリス』と似たものがあり、現実世界で理不尽な境遇にある子どもが、とあるきっかけにより別世界に潜り込み、そこでの体験を通して自我を開花させていく。

読み進めていく間、私はバスチアンそのものだった。バスチアンと共にたくさんの人々と出会い、敵を倒し、崩壊しつつある世界を救った。児童文学にありがちな話の展開は、私を無条件に受け入れ、救ってくれた。

でも、物語にはいつか終わりが来る。いくら主人公に自分を重ねていたとしても、本を閉じればそこには生身の自分だけが残る。本を読み終えた私は、ファンタジーの世界から抜け出し、自分の人生を生きて

いかなければならない。でも間違いなく、本は、文章は、私に自分自身を取り戻させてくれた。

私は少し内気で空想が好きな、どこにでもいる普通の女の子だった。失敗を犯してしまった日には夜が明けるまでそのことに支配されているような、好きな人ができれば遠くで眺めているような、そんな子だった。どこにいても、誰といたとしても、なんとなく自分の居場所ではないような、そんな気分を抱えた子だった。

私が図書室に逃げ込んだように、この世界にはたくさんの困難が待ち構えている。崩壊しつつある世界とは、「自分が作り出した世界」だったりもする。人生とは、誰かの物語で、私たちはいつだって自分の人生の"主人公"だ。私の物語に、あなたを重ねてもいいし、重ねなくてもいい。この本を手にとってくれたあなたはどう考えて、どう生きていくだろう。そんなことを考えながら、文章を紡いでいこうと思う。

インターネットとの出会い

初めてインターネットとつながったのは、小学校 4 年生の時だ。学校ではすでに「情報教育」というものが取り入れられており、初めてインターネットに触れたのも授業の中だった。休み時間には、教室に 1

台しかないパソコンを独り占めするくらいに没頭していた。私にとって「インターネット」というものは、他者とつながるものではなく、「別人」に生まれ変われる場所だった。

インターネットというと、匿名性が強く「危険な場所」のように認識する人も多いと思う。確かに、インターネットを利用した犯罪は後を絶たない。最近では学校現場において「ネットいじめ」も問題視されている。内閣府が行った世論調査でも、「あなたは、インターネットを利用することについて不安はありますか」という質問に対し、56.4％の人たちが「不安がある」と回答している。便利さと危険性は表裏一体で、ひとつでも使い方を間違うと落とし穴になりやすい。しかしながら私は、その「便利さ」を、ある種の「逃げ道」として利用し始めた。

高校１年生の時には、ブログを始めた。名前は「動物的まいにち」で、ペンネームは同じく「みたらし」だった。１人で内省することが上手ではなかった自分にとって、ブログというものは自分を振り返るツールだった。また、「自分が何者なのか」ということを形づけるために、ブログは一番の近道でもあった。

ペンネームを持った私は、今まで人に言えなかったようなことを文章として書き連ねた。例えば、テストの点数が悪かったことや、人間関

係のトラブルなど、1人で思い悩んだことを書いていった。時には自傷をしてしまった時の気持ちなど、人には伝えられないようなことも書いた。単純に物事を書き連ねるだけではなく、その時の状況が生々しく伝わるように。

しかし、書いているのはあくまで「みたらし」であり、私自身ではない。私の「弱さ」を凝縮して言語化させたものが「みたらし」という人格だったのだ。「弱い自分」に人格を持たせると、なんとなくその物事を遠くから眺めているような気がして痛みが少しやわらぐこともある。今思えばそれらの行為は「解離症状」といって、現実の問題と向き合い難い時に「自分の意識を飛ばしてみる」という状態に似ているが、とにかく私は「書くこと」に救いを見出していた。

毎日のように、その日に起こった「人に伝えるには躊躇するような感情」を書き連ねていると、今度は想像もつかないようなことが起きた。なんと「みたらし」に共感した人たちが、コメントを残してくれるようになったのだ。そこには同じ想いを抱える人、感情を表出できない人、自傷をやめられない人だっていた。当時の私と同じ10代の子たちから、もう少し年齢が上の人もいた。そこで私は初めて「書き手だけではなく、発信を受け取る側も救いを求めている」ことに気がついたのだ。この時の発見は「みたらし加奈」を形成する土台になったと思う。

性的暴行と解離性障害

平成最初の新語・流行語大賞（正確には、新語部門・金賞）が「セクシャル・ハラスメント」だったことをご存知だろうか？ そして、平成最後の新語・流行語には「#MeToo」が選ばれた。

しかし令和に入ってから、「性被害を訴えられた被告人が無罪になる」というおぞましい事件が立て続けに4件も起こった。そのうちの1件は、娘が長期にわたって父親から性的虐待を受けていたケースだった。被害者である女性の精神鑑定を行った精神科医は「性的虐待が積み重なった結果、父親には抵抗できないのではないか、抵抗しても無理ではないかといった気持ちになっていき、心理的に抵抗できない状況が作出された」と証言をした。それにもかかわらず、裁判所の出した判断は「無罪判決」だった。しかもその理由は「抗拒不能の状態にまで至っていたと断定するには、なお合理的な疑いが残る」ということだった。要するに「抵抗できない状況とは言い難く、合意の意思があった疑いがある」と裁判所が判断したのだ。

このニュースを目にした時、私は怒りで胸がいっぱいになった。ニュースを読み進めていく手は震え、涙が止まらなかった。希望があったと

すれば、この事件をきっかけに、全性暴力に抗議する「フラワーデモ」が全国で行われるようになったことである。そして裁判所の判決に対する批判が相次いだこともあり、結果的に父親である被告には「有罪判決（懲役10年）」が下されることとなったわけだが、私からすれば「1度は無罪になった」という事実にいまだに憤りを覚える。

以前、私のTwitterで「今まで性被害にあったことはありますか？」というアンケートをとったことがあった。補足として「性被害とはレイプ、性的虐待、痴漢、卑猥な言葉をかけられた、性器を見せられた等を含みます」と追記した。結果は想像を絶するものだった。なんと全回答者4777人のうち、67.7％が「ある」と回答をしたのだ。私が学生だった頃にも、痴漢にあったことのある女子はクラスに大勢いた。その中には、男子もいたのかもしれない。周りだけ見たら、「痴漢をされたことがない」子たちのほうが少なく感じてしまうくらいだった。性器を露出されたり、知らない男性に追いかけられたりしたことがある子だっていた。心のどこかで、「性加害をしてくる人間」という存在を"避けては通れないもの"として諦めなければならない状況があったし、大人になった今だって同じだと思う。

さらに、「『ある』に回答された方に質問です。その事柄について専門機関（医療、警察、その他の組織）に相談をしたことがありますか？」

というアンケートを加えた。すると、82.9％の人たちが「行動に移せなかった」と答えたのだ。そのうちの29.2％は「専門機関を知っていたが行動に移せなかった」、53.7％が「専門機関を知らず、行動に移せなかった」と回答した。

この結果を受けて、「どれほどの人たちが性被害に苦しみ、１人で抱えてしまっているんだろう」と感じた。しかもこの結果は、氷山の一角にすぎない。日本ではまだまだ、性被害を訴えにくい現状があるのだ。そして、そう感じている人たちが、性暴力の「無罪判決」のニュースを目にしたらどれほど傷つき、絶望するだろう。そう思うだけで、息が苦しくなる。

ハワイで暮らしていた時に驚いたのは「日本人は“Japaneasy”だから、声をかけられやすいんだよ」と言われたことだった。“Japaneasy”とは、“Japanese”と“easy”を組み合わせた造語で「日本人の女性は、容易く性行為をさせてくれる」という意味合いが含まれているものだ。日本ではそこに「性的同意」があったかのように扱われやすいし、性被害だって告発しにくい。そんな現状が海を越えて他国へと伝わり、悪い人間たちに都合よく解釈されてしまっているのだ。女性として生まれてきただけで「性的に消費していいモノ」として扱われやすい社会は、絶対に変えていかなければならない。

だからこそ私は、自分の #MeToo を発信した。声を上げられない人や助けを求められない人に届くように、そして「私はあなたの味方だよ」ということが伝わるように。

小学校高学年、体に変化が出始めた時に言われた「おっぱい大きくなってきたね～」という大人のひと言で、自分の体が大嫌いになった。それを言ってきた男性は父の仕事の関係者で、笑いながら私の胸を指で突いてきた。「おじさんが測ってあげようか？」というひと言に、恐怖で足がすくんでしまった。

中学生の時、「どの女子の胸が大きいかって男子が噂してる」という話が耳に入ってきた。放課後に塾で毎週会う英語の先生は、授業が終わると私に膝枕を要求してきた。いつだって、他人との接触によって、自分の体について自覚させられる時間は「地獄」と同じものだった。

背負わされた「性的虐待」の苦しみ

小学生の時、知り合いの女性の家に遊びに行くことがあった。その女性には高校生の息子がいて、私は彼のことが大好きだった。彼は芸能活動をしており、自分に「格好いいお兄ちゃん」のような存在ができたことを誇りに思っていた。

ある日、いつものように彼の家で遊んでいると「加奈ちゃん、ちょっと来てくれる？」と部屋に呼び出された。部屋に行くと、まずは「ベッドに寝てほしい」と言う。素直にベッドに寝そべった私の上に、彼は体重をかけて乗っかってきた。「重いよ！」という私の言葉は無視され、何かが股間にぶつかっては離れていくことを繰り返し、しばらくすると彼は「出て行っていいよ」と私を部屋から追い出した。そのことが起こってからは、彼の家に行く度に、同じことをされるようになった。

自分よりも何倍も大きくて重たい人間が、自分の上にのしかかり、幼い私はそれに抵抗する力を持ち合わせていなかった。知っている顔のはずなのに、知らない顔をしていて、こちらに向かう視線に気づいた時に恐怖を覚えた。「なんだかよくわからないけれど、この場を否定してはいけない」——そんな気持ちになった。行為がエスカレートをしていく中で、服を脱がされることもあったし、「犬ごっこをしよう」といって体を舐められることもあった。

そんな時、私の記憶と感覚は決まってフリーズする。部屋を出る前には必ず「このことは僕と加奈ちゃんだけの秘密だよ」と言われた。何をされているのかわからないまま、私の中には「気持ち悪い」という感覚だけが残った。次第に「大好きなお兄ちゃん」をはっきりと「怖い」と感じることが増えていき、私はその家に寄り付かなくなった。そし

てその事実を葬り去るように、私はそのことを記憶の彼方に封印した。記憶を消すことは簡単だった。

今でこそ、鮮明に描写をできるようになったが、すべての記憶を取り戻すのには苦労を強いられた。思い出したくないこともたくさんあった。そして臨床心理学を学ぶ過程で、その「記憶喪失」を「解離症状」と呼ぶことを知った。

あの一連の流れが「性的虐待」であると自覚した時、恐ろしい秘密を抱えさせられてしまったことに気がついた。でも私には、何も、本当に何も、成すすべがなかった。

彼は今も「普通」に暮らしている。数年前、彼が結婚したという噂を聞いた。私の胸を突いた男性も、私の膝の上で寝ていた英語教師も、きっと変わらない生活を送っていると思う。何年も私が苦しみ続けたことを、彼らは知らないし、知る由もない。私だけがその秘密を抱え続けていた。「彼らの生活を壊したい」と何度も願った。でも、この世の中でその事実を告発するのってめちゃくちゃ難しい。だってそうすれば「誘惑したんじゃないか」とか、「喜んでたんじゃないか」とか、「自衛しなよ」と言われてしまうし、仮に裁判に持ち込めたとしても時間が経ちすぎている。その時に告発をしていたとしても、果たして今

の日本で裁けるのだろうか。答えは、「NO」に近いだろう。

小学校高学年あたりで第二次性徴期に突入した私は、体の変化を自覚すればするほど、背中を丸める癖がついた。だって背中を丸めたら、凹凸が強調されなくて済むから。誰にも相談できなかった当時の私は、それくらい追い詰められていた。そして私の背骨は、整体でも指摘されるくらいに曲がっていった。

高校生になる頃、今度は逆に「体のライン」が出る服を着るようになった。これはよくあることで、人は「理由のつけられないこと」よりも「理由が明確なもの」のほうが受け入れやすかったりする。「いくら隠しても女性として見られてしまう」という終わりのない悩みを抱えて生きていくのなら、「見せてるから、そう見られて当然だし」のほうが納得しやすかったのかもしれない。今でこそ、「どんなに露出しようが、好きなファッションを楽しめないことがおかしい」と思うが、当時の私にはそれを理解するすべがなかった。

高校3年生くらいになると、今度は「男らしさ」についても研究するようになった。もともと声は低かったけれど、もっと低くなる練習をしたし、髪だって刈り上げてみた。動作は大きくしたし、胸の目立たない服を着るようになった。そうすると「男勝りなんてモテないよ〜」

なんて言われるようになる。でもそれに対して「モテるために生きてるわけじゃない！」と反発を覚えた時、「性別なんて『魂を入れる箱』にすぎないのに、私が一番とらわれてるじゃん」ということに気がついてしまったのだ。そして、そこにとらわれるように仕向けたのは、紛れもなくこの世の中だとも感じた。

今の私は、パートナーである美樹と一緒にいる中で、性被害の記憶を少しずつ克服できるようになった。女性とか男性とかそういうものではなく「人間」として生きている感覚を取り戻すことができた。私が「性別なんて、本当はどうでもいいことであるべきなんだ」って思えるようになったら、周りの目だって変わってきた。もちろん、過去に傷ついたことだって完全に忘れてはないし、それでも生きていかなければならない。明日だって明後日だって、私は私の着たい服を着るし、とりたい態度をとる。誰かのために「バカなふり」はしないし、自分が好きな時にしか「愛嬌」は振りまかない。

女であることに悩んでいた時期、大人は「皆が通ってきた道だから」と誰も守ってはくれなかった。だから私は私を守る。そして守れるようになったら、今度は困っている人たちの力になる。それは幼かった時の自分との約束なのだ。

飲み会で体を触られることも、痴漢されることも仕方ないのだろうか。同意のないままに性行為に持ち込まれることも、「性的なモノ」として消費されていくことも受け流さなければならないのだろうか。内閣に女性が少ないことや、「女性らしさ」や「男性らしさ」を押し付けられても受け入れなくてはならないのか。「女はいいよね、最後は体を売ればいいじゃん」って言われても、笑顔で乗り切らなくてはいけないのだろうか。ジェンダー・ギャップ指数が 121 位（2020 年発表）でも、それを忘れて生活をしなくてはならないのか。

答えは、「NO」だ。あなたの体はあなたのものだし、私の体は私のものだ。それを侵害されてしまうような出来事は、絶対にあってはならないことなのだ。私はどんなことであったとしても、「しょうがないや」と、自分が苦しいのにバランスを取らなきゃいけないような世の中で生きたくない。「うまく生きなきゃ」なんて思うことは、絶対に「当たり前」のことなんかじゃない。私の大切な人たちにだって、そんな場所で生きてほしくないと思う。

だからこそ今の私がやるべきことは、性別やセクシュアリティに関係なく、声を上げられない人たちの代弁をすること。そして、そういった人たちに寄り添うことなのだ。

家 族

「政治家」というと、皆さんはどういう人物像を思い描くだろう。権力を持った強者？ 税金を吸い上げる存在？ はたまた「利用価値のあるもの」として認識する人だっているかもしれない。

日本で流される多くのドラマや映画において、「政治家」というものは悪役として扱われやすい。金の亡者とか、権力を振りかざしているとか、頭が固くて攻撃性があるとか、「誰かを傷つける存在」として扱われやすいように感じる。「ステレオタイプ」というものに異議を唱える人たちですら、「政治家」となると簡単に型に当てはめる。なぜなら、政治家とは「税金」で国を運営しているからだ。彼らが国民の大切なお金をもらっている以上、人の道を外れることは「許されない」し、政治家に意見を述べられる世界こそ「民主主義」の醍醐味である。

その反面で、政治家も１人の人間で、自分の人生を生きたり、家庭を持つことだってある。そしてその家族の一員として、私は生きてきた。

公言するのは初めてになるが、私の父も、祖父も、そして曾祖父も政治家だった。もっと言えば曾々祖父だって政治家だった。私が生まれ

た時は、父はまだ政治の世界に携わっておらず、私の物心のつく頃に政界に入った。中学校に上がる頃には、私は完全に「代議士の娘」になった。私が政治について関心があったり、それを「口にすること」を容易く感じられるのも、環境が影響している。そもそも政治家の家系だったので、政治はごく身近に存在していた。難しく感じるような"政治ワード"だって、私にとってはただの共通言語だった。むしろ、「政治について語らない姿勢」を恥ずかしいとすら感じていた。義務教育で習う「政治」は私にとっては親しみやすいもので、誰かが語る「政治への批判」は自分の家族への意見として直結しやすかった。

だからこそ、私は今まで1人の人間としてではなく「政治家の子ども」として扱われることが多かった。多くの人たちは「私がどういう人間で、どんな考え方を大切にして生きてきたか」について関心がなく、「どんな家庭で育ち、どんな親を持ったのか」にしかフォーカスしなかった。父の勢いがいい時は「正義のヒーローの家族」、悪い時には「悪の組織の一員」として扱われた。

最初に断りを入れておくが、「みたらし加奈」としていただいた仕事はすべて、「議員の娘だから」いただいたものではない。むしろ今までお世話になった方々は、私の家族についてなんてまったく興味はないと思うし、それを自ら伝えたこともない。このご時世、「家族に議員が

いる」ということで、世間一般が想像するような「甘い汁を吸える」なんてことは意外と少ない。議員の給料として入ってくるお金のほとんどは選挙で消えていってしまうため、私の家は他に自営業を営んでいるくらいだった。そして何よりも私自身の存在を、ある意味で「政治的なもの」として位置付けてくる人たちが多く、それによって弊害を受けてしまうことは多々あった。色眼鏡で見られてしまうことが多かったからこそ、私は「みたらし加奈」として生まれ変わりたかった。今までお仕事をご一緒してきた方々に、こういう形でカミングアウトをしてしまうことを申し訳なく思う。

しかし、それ程の事実をひた隠しにしてきた私が今、"あえて"この話に触れるのには理由がある。それはもう「みたらし加奈」として家族の話を避け続けることに、限界を感じてしまったのだ。

この話を呼んで、早速ネットで検索する方もいるだろう。ただ、私はこれからも「誰が親であるか」については、否定も肯定もするつもりはない。私の家族を詮索するような質問にも、答えるつもりは一切ない。私が伝えたかったのは「自分が非常に特殊な養育環境で育ってきた」という事実だけだ。そしてそこから、学べたこともたくさんあった。

私にとっては父親は父親で、母親は母親だ。世間がそれにどう名前を

つけようが、私だけが彼らについてわかっていればいい。私自身がそのことについて隠してしまうということは、「自分を丸ごと肯定する」というモットーに反してしまっていた。嘘をつくことも限界だった。何よりも、家族を否定しているような気がして嫌だった。

私は、これまでの人生を、「虚像」を当てはめられることで生きてきた。時にはその「権力」の恩恵を受けることだってあったし、「対価」を支払わなければいけないこともあった。誰からも期待なんてされてないのに、勝手に日本を背負っているような気分になることもあった。私自身は本当にちっぽけで、親の力なしでは何もできなかったのにもかかわらず、家族のことを知られるだけで「強大な存在」として認識されることもあった。それ故に、「生意気」だと言われてしまうことだってあった。でも、「生意気」に振る舞わなければ、自尊心を保てない部分があったのだ。いつだって、私の人生は矛盾だらけだった。

親の職業を知られた途端、親しくなれそうだった人たちに距離を取られてしまったこともあった。誰のことも信用できなかったし、誰にも「私のことなんてわかるわけがない」と思って生きてきた。だからこそ父が現職を退いた今だって、「政治家の子どもだった」という事実を知られることが怖くて仕方ない。誰かに嫌な思いをさせてしまうかもしれない、失望させてしまうかもしれない。でも、確かにその事実は私

を構築する一部分なのだ。生い立ちを隠したところで、必ず誰かが「そ
れ」を広めてしまう。悪意のない好奇心を向けられやすい環境にいた
からこそ、「なんとなく自分を隠す」ことで身の安全を守ってきた。ど
んなコミュニティに身をおいたとしても、「自分の生い立ちを隠す」こ
とに限界を感じながら生きてきた。「秘密」は、人を"浮世"から離
れさせ、孤独の道へと誘ってくる。私が人の"秘密"を守る職業を選
んだことも、自分が孤独を抱えていたからだ。人間は誰もがそれぞれ
の"秘密"を抱えて生きていると思う。そんな人々の味方になりたかっ
た。みたらし加奈として生きてきた中で、多くの人たちが私に"秘密"
を打ち明けてくれた。それなのに私が"秘密"を打ち明けないことは、
フェアじゃないと思った。だからこそこうして、自分の"秘密"を今
も書き記している。

自分を封じ込めた日

父がまだ現職だった頃、数年に１度、選挙があった。選挙が始まると、
両親は選挙区を奔走し、長い間帰ってこなかった。幼い私と妹の面倒
は、「おばちゃん」と呼ばれるお手伝いさんが見てくれていた。夜に
なると「パパとママに会いたい……」とぐずる私たちに、おばちゃん
は「パパとママはお国のために頑張っているから、パパー！　ママー！
頑張れー！　って叫んで応援しようね」と言ってくれた。できるだけ大

きな声で「パパー！ ママー！ 頑張れー！！」と叫んだ。真っ暗な部屋
に、声だけがこだましていった。もちろん、返答はない。それでも私は、
自分たちの寂しさが少しだけ伝わった気がして、ぐっすり眠ることが
できた。

"お国"のために頑張る両親に、自分の寂しさを伝えることは甘えと
同じだと感じていた。いつだって、誇らしさと寂しさが共存していた。
私にとって父は、「私だけのパパ」ではなくて、「国の所有物」のよう
な存在だった。幼いながらに、なんとなくそれを理解していた私には、
自分の感情をストレートに伝えることが難しかった。

ある程度の年齢になると、選挙区への同行が許されるようになった。
そして"選挙区に行っても恥ずかしくない教育"をたくさん受けた。
人前で物をねだってはいけないとか、TPOをわきまえることとか、ど
こが上座でどこが下座なのか、それを知る必要のない年齢から学ばせ
てもらってきた。そして選挙の際には、法律に引っかからない範囲の
中で父や母を手伝った。お手伝いをしてくださる地元の方々と一緒に、
父を応援していた。祖父が生きている頃は、祖父と一緒に地元を回っ
ていた。普段は優しすぎて頼りなくさえ見えていた父が、選挙区を奔
走し、自身の理念を唱える姿は本当に格好良かった。

高校生になり、おしゃれを楽しむようになってからも、選挙区に行く時はできるだけ"地味"な格好を心がけた。そこには「自分らしさ」なんていうものは不必要で、「質素で誰からも好感を抱かれやすい存在」であることが強いられた。そこにいる私は「人間」ではなく、笑顔を貼りつけたロボットと同じだった。

苦しい選挙の時は「非国民」と呼ばれ、生卵を投げつけられたこともある。鈍い音を立てて卵が割れ、べっとりとついた卵の白身は乾くとなかなか取れなかった。泣くことも、怒ることも許されなかった。そしてそんな行為が「民衆の正義」で、そこまで有権者を怒らせてしまう私たちが「悪」だった。今だからこそ、その「意味」について理解できるようになってきたものの、それを「家族」である私たちが受けることに理不尽さを感じることだってあった。

いつだって私の中にしか「真実」は存在していなくって、それを表に出すことは許されなかった。どこにでもあるような家族のケンカですら、表に出た瞬間に「スキャンダル」になった。スキャンダルになった日には、何もかも取り返しがつかなくなって、弁解することは許されない。たとえ人々の関心がなかったとしても、マスコミには面白おかしく「憶測」を書かれてしまった。誰かに秘密を打ち明ける時ですら、家族に迷惑がかからないような話し方しかできなかった。だからこそ、

本当にしんどい時には腕を切った。あふれる血を眺めながら、「本当の味方は自分だけだな」なんて思った。安心して背中を向ければ、うしろから悪意の刃を刺される可能性があると感じていた。だって、私の持っている情報には、「お金が支払われる」から。悩みを打ち明けたところで、「贅沢な悩み」だと評価されてしまうから。

被害者ヅラをするつもりは毛頭ない。「強い存在」として扱われやすかったからこそ、ちっぽけでなんの取り柄もない私は、いつだって置き去りにされてきた。私の存在はそれらの「恩恵」を受けるに値しなかったのかもしれない。「もしも私が利口で行動力があったら、有利になることはたくさんあるだろうな」と考えることもあった。でも実際の私は、受験にも失敗して、将来の夢だってない。家事も苦手で、「いい奥さん」になれる気配もなかった。まだ何者にもなれていないのに、「何か」として扱われることが不快で仕方なかった。「虎の威を借る狐」という言葉があるけれど、たとえ狐だったとしても「虎のような威力を持てる能力」があるのであれば、それはある種の才能だ。私は「虎に育てられた」という事実にしかすがれない狐だった。「虎に育てられたから」というだけで、人々は私に「虎になること」を期待した。でも、私にはなれなかった。なれる能力もなかった。

自分を生きる

美樹に出会ってしばらくして、どうしても自分の「家業」について打ち明けなければならない時がきた。「実はこういう家でね」と話すと、美樹は「そうなんだ」と答えて、それ以上の反応をしなかった。根掘り葉掘り聞かれた時の返答まで用意していた私は、すっかり気が抜けてしまって「驚かないの？」と尋ねた。すると美樹は「ううん、別に。だって大切なのは加奈ちゃんがどう生きたいかじゃないの？」と答えた。

そんな反応をする人は生まれて初めてで、そこでやっとわかったのだ。あくまで家族は、自分以外の「他人」だということを。「家をどう守っていくか」に焦点を当てすぎていた私は、「自分がどう生きるか」について考えたことがなかった。ううん、考えたくなかったのかもしれない。全部を「家」のせいにして、自分の人生に責任を持たないようにしていたことに気がついたのだ。

私は恥ずかしくなって、「そうだね」とだけ返答をした。それと同時に「この子と一緒にいれば、自分の人生を見つめ直せるかもしれない」という希望が湧いてきた。どこかで"名誉ある男性"との結婚を期待されていた自分にとって、女性と生きるという選択肢を選ぶことは「リスク」しかないはずだった。でもそんなことが吹き飛んでしまうくらい、

「美樹と一緒にいる自分」を好きになれそうだった。その時の気持ちを、今も忘れていない。

父が現職を退くことが決まった時、隣には美樹がいて、私の手をギュッと握っていた。美樹にもたれかかって、大きな声で泣いた。100年近く永田町にあった自分の「名字」がなくなった瞬間だった。

私の事情を知る友人から「お誕生日おめでとう、これからはあなたの人生だよ」というメッセージが送られてきた。その言葉には本当にたくさんの意味が込められていて、「そうか、これは悩み続けた私の誕生日なんだ」と思ったら、余計に泣けてきた。私の涙は「悲しさ」ではなく、赤ちゃんがお腹の外に出た時の産声に近かったのだと思う。涙を流す姿とは裏腹に、私の気持ちは非常に晴れやかだった。父には申し訳ないが、「やっと呪縛から解放される！」と心の底から思ってしまったのだ。

もちろん寂しさだってあったし、自分のアイデンティティのひとつを失った気分にもなった。でも、これからが本当の意味での私の人生のスタートだ。自傷をしていた過去も、性被害にあった事実も、もう隠す必要がなくなった。専門機関にかかった時に、親の仕事について伏せる必要もなくなった。その時に初めて、私は「みたらし加奈」にな

ることができた。私はもう「公人の家族」ではなく、どこにでもいる普通の女で、女と生きる道を選んだ女だった。自分の立場を気にせず、政治について語ることだって許された。政治について批判する言葉を受け取っても、「自分の家族について言われているのかもしれない」と傷つかなくてよくなった。改めてフラットな視点で、日本の未来について考えられるようになった。大袈裟かもしれないが、それくらい私にとっては大切な瞬間だったのだ。

なぜ私があえてこの事実を本に書こうかと思ったのかというと、それには理由がある。まずは前述した通り、秘密を話してもらうような立場なのに、秘密を持っていることに申し訳なさを覚えたこと。そして、それについて触れてくる人たちが少しずつ多くなってきたからということもある。YouTube や Instagram に「お父さんと似てますね」とか、「〇〇の子どもなんでしょ」といった旨のコメントを書かれることも多くなってきた。自分の本名をネットで調べれば、揶揄するような記事だってたくさん出てくる。正直に言えば、自分の家のことを暴露するメリットは皆無で、だからこそそんなコメントをもらう度に削除をしていた。

しかし私は思ったのだ。「なぜ隠す必要があったんだろう」と。自分の人生を否定していたのは、ほかの誰でもなく、自分自身だった。「自分らしく生きていこう」という私が、自分のルーツを隠すことは矛盾

していると思う。私が私らしく生きていく上で、実は人々の関心なんて関係なくて、まずは自分の名字を「肯定」することが大切だった。

今の私はもう「元政治家の娘」として揶揄されることに抵抗はない。好きに評価してくれればいいと思う。だって私は私なんだ。全部を含めて「みたらし加奈」だから。家族や美樹、親友、そして周りの人たち、私を信頼してくれる人たちがわかってくれるならそれでいい。

だって私はもう目の前の人が語る言葉に、熱心に耳を傾けることができるから。「あなたの味方だよ」と胸を張って言えるようになったから。日本の未来、そしてこの国で生きるすべての人たちについて、真剣に考えることができるようになったから。

私が「何者」かなんて、どうでもよかったんだ。大切なのは、過去と現在、そして未来に向き合った上で「どう生きていくか」だった。

マジョリティとマイノリティ

日本ではまだ「両親がいて、子が何人」という家族モデルが一般的で、世の中から受け入れられやすい現実がある。老若男女が楽しめる「国民的アニメ」における家族構成のほとんどが「父親、母親、子ども」で、彼らは決して裕福でも貧乏でもなく、持ち家を持っている。父親は正社員で、母親は主婦、子どもは楽しく学校に通っている。ケンカはするけれど、亀裂が生まれるようなトラブルはなく、そこには浮気も家庭内暴力も存在しない。子どもたちは当たり前のように「異性」に恋をしたりするし、性自認と体の性別は一致している。

しかし、現実はどうだろう？ 2011 年の厚生労働省のデータでは、いわゆる「ひとり親家庭」は約 146 万世帯と言われている。2018 年のデータでは持ち家がある人たちは 61.4％。2019 年のデータでは、雇用者数 5660 万人に対し、2165 万人が非正規雇用である。これらのデータを見る限りでも、「大卒で結婚して子どもを産んでマイホームとマイカーを持って生涯離婚はしない……」という家族モデルは、決してマジョリティではない。

ただ、私は作品に対して文句を言いたいのではない。それらが「普通

の家族」として扱われる風潮を懸念している。小さい頃に植え付けられた「普通」は、自分が思っている以上に根付いてしまう。私たちは意図せずに、少しずつ少しずつ擦り込まれながら生活をしている。そして植え付けられた「普通」から外れてしまった時に感じる孤独感は、計り知れない。

小さい頃はよく、『おかあさんといっしょ』という番組を見ていた。当時はなんの疑問も持たなかった。学生になって仲良くなった友人がたまたま父子家庭で育っていたことを知り、『おかあさんといっしょ』というタイトルに、生きづらさを感じてしまう人たちがいることを知った。信じられない話ではあるが、母子家庭で育った友人が、恋人の母親から「あそこの子はひとり親だから、うちの息子とは価値観が違う」と言われたという話も聞いた。私からすれば考えられないような出来事も、現実には起こっているのだ。

幼稚園や小学校で「お父さんとお母さんの絵を描いてみましょう」とか、「お父さんの仕事についてインタビューしてみましょう」なんて課題が出されたことはないだろうか？ 決して当たり前ではない「父が仕事をして、母が家事をして、子どもがいる」という情報を、「普通」として扱ってしまう暴力性に気づける人は少ない。日本には多様性を重視したロールモデルが少なすぎるからこそ、他人のバックグラウンド

に対する配慮がかけてしまう時がある。私たちは、誰もがマジョリティ
でマイノリティなのに。

　私の家族は、両親共にいて、父も母も働いていた。現在も自営業を営
んでいるし、現職の時には母は「議員の妻」としての役割をまっとう
していて、同時に知人の仕事を手伝うこともあった。なので、私と妹
は「お手伝いさん」にお世話をしてもらうことが多かった。何度も引っ
越しを繰り返したし、選挙のシーズンには両親共にいないことが多かっ
た。人よりも「厳しい家庭」で育ったと思うし、周りの子たちが知ら
ないような知識も、たくさん教わった。

　「選挙事務所あるある」とか「今回の選挙やばいよね〜」なんて会話
ができる相手は、妹以外にはいなかった。物心ついてからは、選挙が
終わって東京に戻って来たとしても、周りからは「あんた1カ月間ど
こ行ってたの？」と好奇の目を向けられ、"浦島太郎状態"だった。そ
の瞬間、私は完全に「マイノリティ」で、それを自覚していた。私が
唯一「マジョリティである」とはっきりと断言できるのは、右利きで
Ｏ型であることだけだ。だからこそ今のパートナーとお付き合いをし
て、いわゆる「セクシャルマイノリティ」として分類されたとしても、
私は怖くなかった。だって「マイノリティ」であることは悪いことで
はないし、そもそも人それぞれ指標なんて違うでしょ、と思ってきた

からである。そして自身の経験から、「普通」というカテゴリーから外されることに慣れていたからだ。

私はいつだって、「誰もがマジョリティでマイノリティである」という意識を大切にしている。例えば恋人の有無を聞く時も「彼氏いる？」「彼女いる？」という言葉を選ばないし、子どもに向かって「お父さんとお母さんは？」なんて尋ねない。目の前の夫婦に向かって「お子さんの予定は？」なんて声をかけることもない。世の中には、親のことを憎む子もいれば、早くに親を亡くしてしまう子だっている。親の顔を知らない人たちだっている。子どもを持たない選択をしている人もいれば、苗字を変えたくないからと、事実婚をしている人たちもいる。男の子だからって女の子を好きになるとは限らないし、これからもしかしたら「母、母、子」や「父、父、子」のような家族構成を持つ子だって多くなるかもしれない。確かに、すべての可能性を配慮していたら、八方塞がりになってしまう。しかし大切なのは「いつだって想像力を働かせて相手を見る」ということだ。自分の「普通」を相手に押し付けないことだと思う。

臨床心理士として働く中でも、この想像力を求められることは非常に多い。特に以前働いていた精神科では、本当にさまざまなバックグラウンドを持つ人たちがいた。だからこそ「決めつけない」ことが必要

とされたし、私もそれに気をつけながら言葉を選んだ。SNS で発信したり、初対面の人と会う時にも、そのことを意識するようにしている。「多様性」とひと言で言ってしまうと、なんだか「目に見えやすいマイノリティだけを配慮する」という意味合いとして受け取られやすい。

でも、何度だって言わせてほしい。すべての人がマイノリティでマジョリティなのだ。

あなたはなんの「マイノリティ」だろう。そしてあなたはなんの「マジョリティ」なんだろう。少しだけ意識して考えてみてほしい。あなたの中にも必ず「多くの人たちとは違う部分」があるはずで、また同じく「多くの人たちと同じ部分」があるはずなのだ。だからこそ「なんでマイノリティに迎合しなければいけないの？」なんていう批判は、ある意味で的を得ていない。だって多様性を重んじる社会というものは、必ずあなたにとっても生きやすい場所なのだから。

もしあなたが「多様性を意識しすぎて、言葉がかけられなくなってしまう」
のであれば以下のことを留意してみてほしい。
私が気をつけている6カ条だ。

恋人の有無について聞きたい時は「パートナーいる?」
家族について聞きたい時は「ご家族について教えて」
など、性別や役割を最初から特定しない。

国籍や人種、性別などによって「主語」を大きくしないこと。
ステレオタイプを押し付けないこと。
例えば「男って〇〇だよね」「女って〇〇だよね」や、
「〇〇人ってこうだよね」などの会話をしないように心がける。

自分の「好きなこと」が、相手も「好き」とは限らない。
また「自分の嫌いなこと」が、相手も「嫌い」とは限らない。
人にはたくさんの「好き」「嫌い」があることを前提にする。

同じ属性や信念を持っている人が、価値観も同じとは限らない。
同性愛者だからといって皆が同性婚を支持しているわけではないし、
フェミニストだからといってすべての女性の味方であるとは限らない。
裕福だからといって「悩みがない」わけではないし、
金銭的に困っているからといって「不幸」とは限らない。

どんな背景があったとしても、他人の原体験を天秤にかけないこと。
例えば「私のほうが苦しいから、あの人が苦しいのは嘘だ」とか、
相手の状況と自分の状況を比べてジャッジしない。
また「AさんよりもBさんのほうが苦しそう」というように、
他者の状況を天秤にかけない。
すべての人の「感情」は、
その人にしか体験できない背景があることを知る。

たとえ悪気がなかったとしても、
相手に窮屈な思いをさせてしまった時は「ごめんなさい」と謝ること。
そして考え方を修正する必要があれば、
「どこが嫌だったのか教えてくれる?」と尋ねてみる。

第 3 章

変わりたい

自分を肯定するための化粧

「女の子なんだから、化粧くらいしなさい」

女性として生きていく中で、こう投げかけられたことがある人は少なくないだろう。就活をしている時には「企業受けするメイク」という本を読み漁った。日本では、表紙に大きく「モテメイク」とうたわれた雑誌を見かけることもしょっちゅうだ。善悪の基準は人それぞれだとしても、ふと「メイクは"誰かのもの"なんだろうか」と考えてしまう。

そもそも人間特有の「化粧」という文化は、どのようにして始まったのだろう。

日本における化粧の始まりは、縄文時代にまでさかのぼる。当時の化粧とは、「紅殻」と呼ばれる赤い塗料を顔に塗ることで、「魔除け」の意味合いが強かった。魔除けから"美意識"としての化粧へと移り変わったのは、6世紀後半になってからのこと。大陸や半島から化粧品が輸入されるようになったことで、広まっていったのだという。

その後、平安時代になると日本独自の化粧文化「お歯黒」が誕生する。

歯を黒くする風習は当初、男性の間にも浸透しつつあったものの、次第に「夫以外には染まらない」という意味が加わり、既婚女性のものとなっていく。

「社会的な意味合いを持つ化粧」が注目され始めたのは、大正時代に入ってから。戦後にアメリカ製品が輸入され、化粧の種類が爆発的に増えたことで、現代に続く「化粧」の価値観が確立されてきたらしい。歴史というのは面白いもので、その物事の成り立ちを知るだけで、自分の立場を表明したい気持ちになってしまう（私だけかもしれないけど）。

あなたにとっての化粧は、どういう意味があるのだろう。キレイに見られたい、強く見せたい、モテたい、コンプレックスを隠したい……きっと100人いれば100人分の理由があるはずだ。

私が初めて化粧に触れたのは、幼稚園の時だった。母親の口紅を盗んで、こっそり塗ったことを覚えている。その時はなんとなく、自分が大人になったような、大好きな母親に近づけたような、そんな気持ちになった。でも鏡に映る自分は少しイビツで、アンバランスな表情をしていた。そのことにショックを覚えた私は、二度と母の口紅を塗ることはなくなった。

自分を肯定するための化粧

そんな私が再び化粧に触れたのは、中学生の時だ。当時はまだSNSが発達していなくて、さまざまな雑誌を読み漁りながら化粧の勉強をした。

しかしながら、雑誌の通りに化粧をしたとしても、自分自身の納得のできる「顔」は生まれなかった。国内外の雑誌を集めてパーツごとに切り取っていくことで、ようやく「自分の顔に合う」化粧に出会えた。

ファンデーションを塗り、眉毛を整え、分厚めのマスカラの後にはきゅっと上がったキャットライン、最後には色の濃い口紅を塗る。これで完成だ。この私のメイク方法は、その時から今までほとんど変わっていない。

化粧とは、自分自身を少しだけパワーアップさせてくれるような魔法の側面がある。しかしながら自己肯定感が下がってしまう時には、化粧は「自分以外の誰かのもの」になってしまいやすい。「好きな人に好かれたいから」とか「その場で好まれたいから」とか、「どう見られているか不安……」から始まる化粧は、いつしかあなたを苦しませてしまうかもしれない。

私にとっての化粧は「魔除け」そのものだった。そんな気合いで化粧

をしてきた。私にとって「素顔」を見せることは、敵に背中を向けることと同じだった。中高生の頃には１日５回以上は化粧直しをしていて、化粧道具を忘れた日には、近くの薬局で手元にないものを購入するくらいだった。化粧をする理由はただひとつ。「攻撃性を向けられにくくなる」からである。化粧をしていない私の顔立ちは、一見すると「気が弱そう」に見られやすかった。化粧をして街を歩いている時にはかけられなかった「言葉」を、薄化粧の時には多くかけられた。私はそれが不快で仕方なくて、武装するように化粧をしていた。

現代ではもう「メイク」は女性の代名詞ではない。女性だってメイクを好まない人はいるし、化粧をすることが好きな男性もいる。「メンズメイク」をうたった商品も多く出てきた。先述の通り、人によって「メイク」への思いは千差万別だ。でも、いずれも「自分を肯定する道具である」という点は共通している。ただその上で「自分がメイクをする理由」について、振り返ってみることも大切なのかもしれない。

あなたの顔のすべてのパーツは、あなたにとって唯一無二で、替えのきかないものである。それに化粧品を乗せようが乗せまいが、その事実は変わらない。雑誌のモデルと「パーツ」が違ったとしても、あなたにはあなたの美しさが存在している。そしてその美しさは、ほかの誰でもない「あなた自身」のものだ。

自分を肯定するための化粧 99

私は今のパートナーと付き合ってから初めて「すっぴん」の自分を受け入れられるようになった。今まで「隠すメイク」だったものが「映えさせるメイク」に変わっていった。何度も何度もしていた化粧直しをしなくなった。顔に脂が浮き、化粧がよれていく様も「自然現象」として受け入れられるようになった。本当にメイクが楽しくなったのは、そこからだと思う。そしてそこで初めて自分自身が「醜形恐怖（しゅうけい）」を抱いていたことに気がついた。

「醜形恐怖症」というのは、「客観的に見て醜くないのに、自分の体の一部を極めて醜いと悩み、自傷行為を行ったり生活に支障を及ぼしていること」を指す精神疾患のひとつである（現在は「身体醜形障害」と呼ばれている）。自分の見た目に過度に自信がなかったり、美容整形を繰り返している人たちの中には、醜形恐怖症の人もいる。また摂食障害との併発も多い疾患だ。

私は日常生活に支障をきたすレベルではなかったため、疾患まではいかないものの、確実に「醜形恐怖」自体は感じていた。だからこそ、それがなくなった時に初めて、自分の問題が内側に存在していたことを知った。
もしかすると、あなたが「外見の問題」として捉えていることは、実は心の中にあることなのかもしれない。これはあくまで私の体験談で

あるので、すべての人に当てはまることではないと思う。ただ、もしもあなたがこの文章に少しでも「引っ掛かり」を覚えたのであれば、一度「自分にとってメイクとは何か」について考えてみてほしい。

ただ、私がそのことに気がついたのは、大学院に入ってからのことだ。きっかけは、恩師のひと言だった。「あなたの化粧は隠しすぎている」——自分の中に何か隠したいものがあるからこそ、化粧で覆い隠しているのだ、と恩師は言った。私は、ハッとした。ずっと化粧で隠してきたつもりだったコンプレックスは、実は外見の問題ではなく、内面からくるものだったのだ。今まで無意識に塗り重ねて隠していたものは、クマでもニキビでもなくて、「自身のない自分自身」だった。

しかしながら、それに私は気づくことができなかった。心の問題ですら、ファンデーションで隠せると信じて疑っていなかった。目を逸らせば逸らすほど、実は隠せていなかった「問題」は皮膚を超えて、自傷行為として噴出してきた。

リストカットのはじまり

少しさかのぼると、中学生の頃から、ストレスが掛かる度に自分の
体を強く抓ったり、拳を壁に叩きつけるようなことがあった。でも
それらの行動を言語化することが難しく、「なんで自分はこんなことを
するのだろう……」という思いを自分では解決することができなかっ
た。ただでさえ「心の痛み」は可視化しにくいのに、たとえどんなに
傷ついたとしても、言葉や感情によって表現できるすべを持ち合わせ
ていなかったのだ。そもそも嫌なことが起こっても、「泣く」という行
為に結びつけにくいタイプでもあった。親友はいるが、大切だからこ
そ「私の痛みの話」によって彼らの時間を奪いたくなかった。評価さ
れることも怖かった。

次第に私は、「もっと傷が残るもの」を欲するようになっていった。
最初は定規、次にハサミ、そしてカッター、と手段を変えていった。
血液の付着によってカッターの刃が錆びてしまった時は、新しい刃に
交換して自傷を続けた。替えがなくなれば、たとえ深夜であっても、
新しいものをわざわざコンビニまで調達しに行くこともあった。

私に残された傷たちは、どんな他人の知識や言葉よりも「自分の気持

ち」を代弁してくれるものだった。言葉にできない思いを体に刻んで
いくように、刃を手首になぞらせていく。皮膚が深く沈み込み、その
後ろから血液が滲んでくる。その瞬間に、「生命」を感じることができ
たのだ。皮膚の下には血管があって、その奥には「見たことのない景色」
が広がっている。不思議と痛みは感じなかった。向き合いたくない心
の痛みは、体への執着によって薄れていった。

死にたかったわけじゃない、生きたいから切った。
誰に見せたいわけじゃない、自分のために切っていた。

高校生になる頃には、傷はどんどん大胆になり、出てくる血液の量も
増えていった。初めて外で切ったのは、学校の水泳の授業中だった。
その日は生理のために、授業を見学していた。カバンをプールサイド
に持ち込んでいた私は、ふと、美術の授業で使用したカッターで左腕
を切った。特別な理由はなかった。生理中で気持ちが不安定だったの
かもしれないし、その直前に何か嫌なことがあったのかもしれない。
その時の意識はあまりにもぼんやりしていて、鮮明には覚えていない。
ただ傷が深くて、血が止まらなかったのは記憶している。塩素の匂い、
プールに反響する同級生の楽しそうな声、キラキラと波打つ水面、そ
して傷口は燃えるように熱かった。

一緒に見学していた同級生は小さな悲鳴を出し、「何してんの！」と言いながら私の手を握ってきた。そこから記憶はなくなり、気づけば午後の授業を受けていた。噂を聞いたクラスメイトたちが、心配そうに机の周りに集まってきていた。事態は私が思っているよりも深刻で、なんとなく「面倒くさいな、構わないでよ」なんて思っていたし、自傷行為を止められた時も、ぼんやりと「煩わしいな」と感じていた。傷を見て涙を流された時には、「バカじゃないの」と思った。私の痛みなんて知らないくせに、泣きたいのは私のほうなのに、他人の傷なんかのために泣くなんてアホか、と心が冷めていった。

私の傷を見てネガティブな反応をする人たちに対しては、「自分が"そういうもの"を見たくないだけじゃん」と反発した。エゴと偽善だけの「悲しむパフォーマンス」でしょ？ とひねくれた気持ちがどんどん湧いてきた。私は幼く、そして傷ついていた。もちろん、少なくとも私の身近にいた人たちは、本気で心配をしてくれていたと思う。わかってはいても、「なんで何も話してくれないの？」「なんでそんなことをするの？」と聞かれることが苦しかった。自分のことすら大切にできない私には、「大切に思われている気持ち」なんてまったく理解できなかったのだ。

その時にはもう「なぜ体を傷つける必要があるのか」すらわからなく

なってしまっていた。ただ、手元にカッターがないと不安に駆られて仕方なかった。

あの日プールサイドでつけた傷は、10年以上経った今でも私の左腕に残っている。傷がかさぶたになって、その部分が白く浮き上がってくるようになっても、私にはまだ「なぜ自分を傷つけてはいけないのか」がわからなかった。そして「その行為が何を指しているのか」についてもまったく理解できなかった。だからこそ、「自分を傷つけること」をある種の解決法として受け取ってしまっていたのだ。

私の中には「心に痛みを感じる→体を傷つける→心が痛くなくなる→孤独を感じる→心に痛みを感じる」という悪循環が生まれてしまっていた。きっと自傷行為を行なっている人たちの中にも、このループに共感できる人はいると思う。その循環に身を任せることが「解決策ではない」と理解したのは、数年後に「自傷行為」という言葉を知ってからだった。

やめられなかった自傷行為

初めて私が「自傷行為」という言葉に出会ったのは、大学に上がるタイミングだった。それまで「リストカット」という言葉しか知らず、

自分の行っている行為が何に「分類」されるのかわからなかった。たまたま本屋で『人格心理学』という本を手に取った時に、その言葉を発見した。

「自傷」と言うとなんだか自分とは遠いものに感じられるが、実は唇の皮をむいたり、毛髪を抜いてしまうことなどもこれに分類される。自らを傷つける動物たちと同様に、自傷というのは人間の初期設定にあるオプションみたいなもので、それをするかしないかは、その時のストレスのかかり方によって違ってくる。

その言葉を知った私は、不思議なことに「肯定された」ような気持ちになった。カテゴライズされたことに安心感を抱いたのだ。

臨床心理を学ぶ大学院に入ってからは、本格的に「自傷」について知る機会が多くなった。例えば、自傷にはいろんなタイプがあること、前述した通り、唇の皮をむいたり毛髪を抜くことも自傷に分類され、タトゥーやピアッシングも場合によっては自傷になること。自傷をする人の中には、性的被害の経験を持つ人も多いこと。痛みの伴う自傷と、痛みを伴わない自傷があって、後者は「解離症状（自分の心と肉体が分離している状態）」の一部であること。さらには自傷をする患者さんに向けてどのように声がけしたらいいのかなど、本当に多くのこ

とを学んだ。そして、授業で習う「自傷行為」の分類に、自分が当て はまることも多かった。例えば、私が「自傷行為は痛くない」と感 じていることも、間違いなく解離症状のひとつだったし、性的被害 にもあっていた。自傷行為を行う人に向かって、「もうしないでね」と いう"約束"をしたり、「なんでそんなことするの！」という叱責をす ることは「避けるべき」であることも教わった。時には「わかる〜〜！ 怒られると冷めるよね〜〜」なんて共感を覚えることもあって、次第 に「自傷をする人の気持ちがわかってしまうこと」に自責の念を抱く ようになった。自傷が出てくる症例に対して、ひどく心を揺さぶられ てしまうため、「これはいよいよ私自身をどうにかしないと、専門家と して対応できないぞ」と危機感を覚えるようになったのだ。しかし私は、 やめられなかった。「心に痛みを感じる→体を傷つける→心が痛くな くなる→孤独を感じる→心に痛みを感じる」という悪循環は、自分が 思っているよりも体に染みついてしまっていて、「自傷」について習っ ているはずなのに、それをやめるすべがわからなかった。

誰かに大切にされている体

そんな私が、自傷行為をやめるきっかけになったのは、今のパートナー との出会いだった。彼女と付き合い始めた頃は、まだ自傷行為を続け ていた。忘れもしない夏の始まり、半袖から出た私の腕を凝視する彼

女に、「自分のやめられない癖」を告白した。その時の彼女は驚きもせず、ただ淡々と「そうなんだ」と話を聞いてくれた。心の中で「引かれたかな〜、まぁでもそれで終わるならそれまでだしな〜」なんて考えながら、その話を終えたことを覚えている。

それからしばらくして、電話口で彼女と大ゲンカをした私は、怒りに任せて自分の足をカッターで切りつけた。皮膚がめくれ、血が溢れ出してきた。大量の血を流しながら怒る私は、もはや冷静さを失っていた。「切ったこと」は、彼女に伝えなかった。

数日後、彼女の家に遊びに行った時、着替えている私の脚を彼女が掴んだ。ものすごい剣幕で「それ、どうしたの？」と尋ねる彼女に、「自分で切った」と正直に伝えると、彼女は黙って出て行った。戻ってきた彼女の手には、マキロンと大きめの絆創膏が握られていて、何も言わずに私の足を手当てし始めたのだ。彼女は終始、沈黙を貫いていた。俯く姿を覗き込むと、無表情の顔には涙が伝っていた。「ごめんね」と呟くと、彼女は私の体を「痛いよね、痛いよね」と言いながらさすり始めた。その言葉は、私自身に向けられているというよりも、「私の体」に向けられたものだったと思う。そして、彼女は静かにこう言ったのだ。「加奈ちゃんは、自分に刃を向けているように見せて、人に刃を向けているんだよ」と。

私はこの言葉に大きな衝撃を受けた。なぜなら「自分の体なんだから、好きなように扱っていい」と思って刃を当てていたのに、予想もしない反応をされたからだ。もうすでに、彼女にとって「私の体」は、自分のものであるかのように大切で、そこに刃を当てることは「彼女に刃を向けているのと同じ」なのだと。そして「相手に刃を向けているのと同じくらい」に、相手を"苦しめてしまう"ことだったのだと、その時に初めて悟ったのだ。

それから私は、自分の体にカッターを当てる度に彼女の顔がよぎってしまうようになった。

「加奈ちゃんは、自分に刃を向けているように見せて、人に刃を向けているんだよ」

その言葉が耳にこだまして、そうするとなんだか自分の体が「愛しいもの」のように思えてきて刃物を持つ手に力が入らない。そもそも、美樹に刃物なんて向けたくない。それが「美樹の大切に思っている私の体」なら、なおさら傷つけられなくなってしまった。彼女から「痛いよね、痛いよね」と言われた時に、私は「そうか、痛かったんだな」と思った。心の痛みを可視化したくて体に傷をつけていたのに、いつの間にか「痛み」すらもわからなくなっていた自分に気がついたのだ。

リストカットのはじまり

そこから私は、少しずつ自傷行為をしなくなっていった。

同時に、人には言いたくないような過去だって、美樹には話せた。ど
んな時も、彼女は私を否定しなかった。美樹に大切にされればされる
ほど、私は私を傷つけなくなっていった。思っているよりも私の問題
は単純だった。

「丸ごと誰かに愛されたかった」。ただ、それだけだったのだ。

しかしながら、あくまでこれは私の事例であって、美樹の対応そのも
のが「誰にでも通用すること」ではないことは留意しておきたい。た
またまパズルのピースがはまったからこそ、私は自分の「癖」をやめ
ることができた。また美樹のすすめで、「教育分析（カウンセラーの
カウンセリング）」を受け始めたことも「自傷をやめられた」要因のひ
とつであると思う。「自傷しなくてもいい方法」は、実はたくさんあ
るのかもしれない。

どうせ生きているなら、自分自身を愛せたほうがずっとお得だし、
幸せに決まっている。でも、それが一番難しい。私がそうだったよう
に、「愛し方・愛され方」がわからない人は大勢いると思う。もしもあ
なたが「自傷行為」を少しでもやめたいと思っているなら、まずはあ

なた自身の「過去」と向き合ってみることも大切なのだと思う。

そして、どこかのタイミングで自傷をしたくなってしまったら、まずはあなたにとっての「宝物」を手にとってみてほしい。お気に入りの文房具とか、かわいがっているぬいぐるみとか、あなたが大切に感じているものであればなんだっていい。それをあなたは壊せるだろうか？もしかしたら傷つけられるかもしれないし、躊躇するかもしれない。もし躊躇したのであれば、こう考えてみたらどうだろう？「あなたがそれらを大切にしている以上に、あなたを大切に思う人がいる」と。

参考になるかはわからないけれど、私は「大切にされているんだ」という実感が湧いた時から、何だか自分が「自分だけのもの」じゃなくなったような気持ちになって、自傷することができなくなった。あなたは誰かから「愛されるべき人間」である。そして自分からも「愛されるべき」なのだと思う。

あなたの支えになれる人間は、あなたが思っている以上にたくさんいることを忘れないでいてほしい。そして何より、私があなたの味方であることを覚えていてほしい。

太っていた自分との戦い

以前、自身のInstagramで「精神疾患について知りたいトピックはありますか？」というアンケートを取った時、「うつ病」や「統合失調症」のほかに目立ったキーワードが「摂食障害」だった。事実、日本における摂食障害の患者数は、90年代後半から急激に増加している（厚生労働省発表データ参照）。摂食障害は死の危険だけではなく、「症状を悪化させる負のループに陥りやすい」という側面がある。自分の体についての"認知の歪み"を取り除かない限り、治療者の言葉は相手の心には届きにくく、症状は長引きやすい。

摂食障害は、「痩せて綺麗になりたい」という願望が"原因"になっていることが多い。だからこそ、美しさを求められることが多い"女性"が圧倒的な割合（約90％）を占めている。

私が出会った患者さんの中にも、「綺麗になりたい」という理由で摂食障害を患っていた方が多くいた。しかし、社会に求められる「美しさ」を追求しているはずなのに、彼女たちの自己評価は低いままだった。そういった症状を抱える人たちに、いくら「摂食障害は危険ですよ」と伝えたとしても届くはずがない。相手の「目標設定」にどう寄り添

いながら、摂食障害へのループを断ち切っていくのか。答えのない問いを考え続けた。

ある時は、「吐いているから体重は減るんだけど、顔が痩せない。もっと痩せるために吐いてしまうんです」という人に、「嘔吐の繰り返しは、唾液腺が腫れるので顔がむくみやすくなりますよ。吐かない方法を一緒に考えていきましょう」と、声掛けをしたことがあった。私の返答が果たして正解だったのかはわからない。でもその時の彼女は「知らなかった！」と驚いていた。摂食障害の危険性と弊害について、「届きやすい言葉」で社会に周知されることも重要だと実感した。

医学的には痩せていても

そもそも摂食障害とは、どんな病気なのか。簡単に言えば「食べるという行為についての異常行動」である。摂食障害には、大きく分けると２種類のパターンが存在している。

まずは「神経性やせ症」と言われるもの。痩せるために食事制限をするが、その反動で過食行動を起こすこともある。また下剤や「痩せ薬」と呼ばれるものを乱用したり、嘔吐が見られることもある。そしてもうひとつは、「神経性過食症」と呼ばれるもの。こちらは、「食べるこ

とのコントロール」が利かなくなってしまう状態を指す。食べ始めると止まらなくなってしまったり、むちゃ食いを繰り返しては吐いてしまうなどの行動が見られることもある。大量の食べ物を詰め込むように食べることも、特徴だ。両者の総称が、「摂食障害」となる。

何度も言うように、「痩せる」という言葉がポジティブなワードとして捉えられている世の中で、「摂食障害を治しましょうね」という言葉は当事者に響きにくい。また摂食障害まではいかなくても、「自分の体のここが嫌いだ」という想いを抱えている人は多いと思う。

「シンデレラ体重」という言葉が流行ったことを記憶している人もいるだろう。シンデレラ体重とは、BMI 18 を指すものだ。BMI（ボディマス指数）とは、体重（kg）÷（身長（m）×身長（m））の式に自分の体重と身長を当てはめて算出する肥満度を表す数字のことである。医学的には「22」が「適正体重」で、「18.5」未満は「低体重」と呼ばれ、身体的・精神的な悪影響を及ぼしやすいと言われている。そんな「低体重」を下回る基準が、美の指標になり得る社会に危機感を覚えた。

世界的に見ても、日本の肥満率は低い。そこから見えるのは、私たちは決して医学的な肥満指標にとらわれているのではない、ということだ。だからこそ、「シンデレラ体重」なるものが持てはやされてしまう現実

がある。「痩せたい」と思う人たちの中には、「低体重」であることに危機感を覚える人は少ないのかもしれない。摂食障害の主な原因は体重や体型への過度なこだわり、いわゆる「ボディイメージの歪み」だと言われている。その歪みには「周囲の評価からくる不安」も含まれていると思う。

体型に自信のない自分との戦い

私自身、昔は自分の体型が大嫌いだった。今だって「自分の体が好きか」と言われたら自信はない。衣類をまとわず鏡の前に立った時には、「醜いなぁ」なんて思うこともある。心ない人の「デブ」という言葉にめちゃくちゃ傷ついたこともあるし、太い腕を隠したくて、夏場は長袖が手放せなかった。ダイエットだって、頑張ったところで「まだまだじゃん」という自分の心の囁きが聞こえてくる。「ナイフで自分の肉をそぎ落とせたら、どんなにラクだろう」と、何度も何度も考えた。

そんな私が少しだけ救われたのは、「プラスサイズモデル」について知った時だった。さまざまな体型のモデルさんたちが、颯爽とランウェイを歩いていく。そんな姿を見た時に、心の底から「美しい」と思えた。もちろん、彼女たちの本心は知る由もないが、私から見た彼女たちは自信に満ちていて、「美しい」という評価がおこがましく感じてし

まうくらいに、「自分らしく生きている」ように見えた。その美しさとは、何よりも「その人の内面から出る美しさ」だった。彼女たちの体はまさしく「彼女たちのもの」で、頭のてっぺんから足の指の先まで、丁寧に愛されていることが伝わってきた。

私は自分の体を愛せていただろうか。私が愛さなきゃ、誰が愛してくれるんだろう。苦しい時も悲しい時も休みなく働き、こうして今日も私が生きていけるのは「私の体のおかげ」なのに、私はちっとも愛してあげられなかった——。自分の体を「自分のもの」として大切にできていなかった私は、猛烈に反省した。

とはいえ、日々の生活を過ごしていく中ではそんな反省は忘れてしまう。社会が勝手に生み出した「美しさ」を基準にして、懲りずに自分身をジャッジしてしまうこともあった。そんな時にもう一度、自分の身体について考える機会ができたのは、ハワイに住んだ時だった。

アメリカには「アメリカンサイズ」と呼ばれる洋服のサイズ展開があり、XL以上の洋服が用意されている店は多い。「XXXXXL」の表記を見た時は、さすがに驚いてしまった。体のサイズは人それぞれで、そのことを「当たり前」のように扱ってもらえる場所にうらやましさすら感じた。自分が「太っている」かどうかは、ハワイにいる時はまった

く気にならなかった。日本でははけなかったショートパンツを、自信たっぷりにはくことができた。

その時初めて、「私の"自信のなさ"はすべて、批判を恐れたものだったのだ」と気づいた。地域によって「美しさ」の基準はまったく違う。だからこそ、アメリカにおける「美しさ」に自分が当てはまる時、私は「私らしく」いることができた。私が恐れていたのは「脂肪」ではなく、「他人のジャッジ」だったのだ。

前提として知っておいてもらいたいのだが、私は決して「美容のためのダイエットを頑張っている人たち」を否定したいわけではない。例えば、健康的な食事を摂って運動をしたり、医学的に「痩せすぎ」と言われるBMIではなく「適正体重」を目指すものであれば問題はないと思う。

しかしながら、もしあなたの頑張りが「批判されたくない」という気持ちから来ているものだったら、一度立ち止まって考えてみてほしい。そもそも人間の魅力というものは、外見だけの魅力で完結されるものではない。あなたの視線や仕草や言葉づかい、考え方すべてが「あなた自身」を形成している。

体型に関する価値観は時代とともに移ろいやすく、その「美の基準」自体に脆さがある。その国の経済状況が「体型の美の基準」に関わっているという俗説も存在する。あなたはあなたのままで充分美しいし、体重の増減によって変動してしまうような人間関係は、真の「信頼関係」ではないかもしれない。あなたがもし、自分の体型について眠れぬ夜を過ごしているなら、ぜひとも私のもとに来てほしい。あなたの「素敵なところ」を何個も挙げられる自信がある。

アメリカで覚醒した私は、日本に帰ってきてからは一切「太っている」という言葉に一切耳を貸さなくなった。私が太っていようが痩せていようが、あなたにはまったく関係のない話だから。健康診断で「やや肥満ですね」と言われた時は、健康のためのダイエットを始めた。食生活を見直し、「健康のため」の運動をした。そこまでして健康体を目指すのは、大切な人たちと1秒でも長く過ごしたいからである。

私は決してシンデレラになりたいわけではないから、「シンデレラ体重（BMI18）」は目指さない。ガラスの靴が履けなくたって、裸足で愛する人の元へ会いに行きたい。それこそが「私らしく生きる」ということなのかもしれない。

病 院 に 行 き た い

今でこそ精神科や心療内科の敷居は少しずつ下がってきてはいるもの
の、少し前にさかのぼれば「偏見」はもっと強かった。前述した通り、
私は「自傷行為」の当事者だった。それだけ深い悩みを抱えていた私
がなぜ、「専門機関を受診できなかったのか」について、ここではも
う少し詳しく話してみたいと思う。

プールサイドでの自傷行為があった時、たまたまその傷を目にした母
から「次に同じことをしたら、精神科に連れて行くよ」と伝えられた。
今思えば、その対処の仕方は母親として正しかったと思う。「娘が自
分に悩みを打ち明けてくれない。でも事態は深刻そうだ」と家族とし
て感じた時に、専門機関が救いになることだってある。しかしながら、
当時の私が感じたのは「精神科には絶対に行きたくない」という恐怖
心だった。母の意思とは裏腹に、その言葉を"脅し"として受け取っ
てしまった私は「もっと隠れている場所で、隠せるような傷」をつけ
るようになっていった。隠された行為は、どんどんエスカレートして
いく。

今思えば極端だったと思うが、その頃の私にとって精神科とは、「社

会に適応できない人たちを閉じ込めたり、薬漬けにする場所」だった。そして自分自身の中にある偏見を、「偏見」として捉えられなかった。同じように捉えている人は、現在でも少なくないとは思う。その背景には、「精神疾患」というものの歴史的背景も関わっているのだ。

そもそも日本は、「精神疾患」を「癲狂（てんきょう）」として扱っていた。癲狂とは、もののけや鬼、または狐が憑いているという状態を指す。当時は明確な治療法がなかったため、お祓いや拷問によって事態をしのごうとすることもあったという。江戸時代には、治安維持のために「（癲狂を）発症している人たち」を自宅の檻や離れに閉じ込める「私宅監置」が行われるようになった。本格的に日本に「精神医学」というものが輸入され始めたのは、明治時代だ。西洋文明の影響によって、精神医学の知識が導入されるようになり、1900 年（明治 33 年）には、「精神病者監護法」というものが制定された。これは、江戸時代の「私宅監置」を法律として定めたもので、「監護義務者」となれば、"精神障がい者"を自宅に監護できるというものだった。この「監護義務者」については、地方長官（当時の都道府県知事のようなもの）に認められさえすれば、家族でもなることができた。「監護」というと、なんとなく「介護みたいなものなのかな？」とも思えるが、実際は「檻のような場所に精神障がい者を閉じ込めておく」ことに近かった。その悲惨な現状を見た呉秀三という大学教授が警鐘を鳴らし、1919 年（大正 8 年）には「精

神病院法」という道府県に病院を設置できる法律が作られる。しかしながらこれは国の予算不足により、現実的にはカバーされなかった。

第二次世界大戦後、欧米の精神医学が輸入されることにより、精神医学は大きく進歩した。それによって悲惨な状況にあった「精神病者監護法」は廃止され、精神障がい者を自宅で監護することも禁止された。その時にできたのが「精神衛生法」で、都道府県には、当時でいう公立の「精神病院」を設置するという義務が課せられた。また、国民の精神的健康と予防に焦点を当てた精神衛生相談所も置かれるようになった。この「精神衛生法」こそが、現代の「精神保健福祉法」の元となったと言われている。その後もさまざまな事件や問題が勃発し、だんだんと形を変えながら、現代における精神疾患関連の法律ができ上がった。こうした歴史の中で、命を落とした人たちも多かった。悲しく痛ましい歴史の上に、今の「精神疾患」に関する法律は成り立っているのだ。

明治時代と表現すれば遥か昔にさかのぼったような気持ちになるが、ほんの100年前まで「精神疾患を持つ人を閉じ込める法律」が国によって定められていた現実がある。私たちの祖父母の代には、第二次世界大戦を経験した人たちだっているだろう。今だからこそ「うつ病」などの精神疾患が身近に感じられるようになってきたものの、その頃を

生きた人たちからすると「精神疾患は閉じ込める必要があるくらい危険なもの」という認識だったのだ。世代によって、ここまで感覚に違いがあることも、今の「精神疾患への偏見」を取り巻く要因のひとつであると言えるのではないだろうか。

私もまた、その偏見を持っていた1人だ。前述した通り、「精神疾患は危険なもの」という認識があった。これは、隠しようのない事実だ。その偏見によって、私は「正しいケア」を受けることを選択できなかった。もしあの時に専門機関を頼っていたとしたら、私の体の傷は減っていたかもしれない。パートナーや友人に悲しい思いをさせなくて済んでいたかもしれない。「私のような思いをする人が、少しでも減ってくれたら」という思いを込めながら、この文章を書いている。

では、自傷行為とは「どのような行為」なのか。

専門的な観点から言えば、自傷行為とは「自殺の意図なしに、自分自身の体に対して損傷を加えること」である。例えば薬の乱用、アルコールの過剰摂取、摂食障害、性的逸脱行為などが含まれる。「必要のない痛みや損傷を加えること」は、全般として自傷行為に該当する。
そうした中で、リストカットもまた、「死ぬための行為ではない」と認識している人は多い。「メンヘラ」という言葉が流行った時、リストカッ

　　　　　　　　第3章　変わりたい

トを“パフォーマンスの一環”として揶揄する人は多数いた。専門家として、その認識が広まってしまうことは非常に危険だと思う。自傷行為というものは、“自殺の計画”ではなかったとしても、「自殺関連行動」として認識される。

実は、2010 年度の調査によると、16 〜 29 歳の自傷経験は 9.9％と言われている。10 人に 1 人は、自傷行為をした経験があるということだ。また自傷・自殺対策に取り組む国立研究開発法人 国立精神・神経医療研究センター病院 精神科の松本俊彦氏らの研究によると、中高生の約 1 割（男子 7.5％、女子 12.1％）は、「刃物で故意に自らの体を切った経験」があるという。「刃物」以外の道具も含めたら、該当者はもっと多くなるかもしれない。自傷行為には、3 つの段階がある。

① 表層型・中等症自傷
心理的な不快感を軽減するために、損傷を加えるもの
② 常同型自傷行為
発達障害や精神遅滞を持つ人に見られ、叩頭や抜毛などを繰り返すもの
③ 重症型自傷行為
幻覚や妄想によって行われる自傷

さらに、表層型・中等症自傷は、2 つの分類がある。1 つ目は「強迫

性自傷」である。これは強迫性障害とも関連していると言われており、抜毛、爪かみ、皮膚をかきむしる行為などが含まれている。これらは怒りや攻撃性の自覚がなく、儀式のように行われることが特徴だ。

2つ目は「衝動性自傷」。こちらは境界性人格障害やPTSD、解離性障害が併発している場合が多い。緊張をやわらげたり、抑えたり、怒りを沈めることへの対処法として行われやすいことが特徴とされている。また衝動性自傷には、状況によって起こされやすい「挿話性自傷行為」と、習慣的に行われる「反復性自傷行為」がある。

私の場合、明らかに「衝動性自傷」で、最初は挿話性自傷であったものが、反復性自傷になってしまったパターンだった。

私たちにできること

自傷行為を行う相談者に対して、治療者はそれぞれの「生命への危険度」を見極めながら、寄り添っていく必要がある。例えば、自傷行為に「薬物の乱用」が含まれているとすれば、重症度はもっと高くなってくる。リストカットに関しても、「ためらい傷」と呼ばれる表面上の傷から、動脈を狙った深い傷までさまざまな種類がある。その人が「どこ」を「どんなふう」に、「どういった強さ」で傷つけたのかによって、

治療者が受け取るメッセージが違ってくるのだ。

だからこそ、自傷行為を行ってしまう人への対応は、素人には難しい。もしもあなたの大切な人が自傷行為をしていたら、問い詰めるようなことはせず、優しく抱きしめてあげてほしい。「もうしないでね」という約束を交わす前に、話を聞いてあげてほしい。傷があるなら、感染症にならないように手当てをしてもいい。それでも拒否されてしまったら、「辛いことを話すのがしんどいなら、一緒にカウンセリングに行ってみよう」と声をかけてみるのもいいだろう。

そして、もしあなたが「自傷行為をしている当事者」で、その行為を「やめたい」と少しでも感じているのであれば、この文章を「身近な人」に見せてくれたっていい。自分の胸の内を話せなくても、SOSの代わりになるかもしれない。少しでもいいから、自傷行為の原因となっている「心の悲鳴」に耳を傾けてみてほしい。自分で対処できそうにないのであれば、こっそり私に相談してくれてもいいし、自分の足で専門機関に行ってみるのもひとつの方法だ。あなたの味方は必ずいるし、あなたはおかしくなんてない。ただ、1人で抱え込まないでほしい。心の底から、願っている。

「男性像」への違和感

私の初めての「同性」のパートナーは美樹である。彼女と出会う前は、私は自分のことを「ストレート」だと思っていて、男性とお付き合いをしていた。当然のように「いつかは男性と結婚する」と思っていた。でも男性とお付き合いをしていく中で、「ぬぐいきれない違和感」があることも感じていた。

初めて私が違和感を抱いたのは、当時お付き合いをしていた男性が発した「君の料理を食べてみたい」という何気ないひと言だった。その文脈は単に「交際相手の知らない一面を見てみたい」というものではなく、「女性はキッチンに立つことが当たり前で、だからこそ君の料理を味見してみたい」という流れだったと記憶している。心の中のモヤモヤを解明できないまま、なんとなく「もしかしたら結婚観が合わないのかもしれない」と思い、「もしあなたが誰かと結婚したとして、そしたら奥さんに家事をしてほしいと思う？」と問いかけると、「もちろんだよ。だってそれが奥さんの仕事みたいなものでしょ？」と返ってきた。その前提には、当たり前のように「お金という対価を与えているのだから、労働＝家事をしてほしい」という思いが含まれていた。そこに私の意見が受け入れられる余地は見えなかったし、なんなら「家

事ってラクなことでしょ！ 働くよりはマシじゃん！」という思想すら
垣間見えた。私は言葉にならない恐怖心を覚え、その相手との未来を
考えられなくなってしまった。そして自分が「扱いにくい、面倒くさ
い女」と形容されるような気がして、そんな自分に憤りすら覚えた。

はっきり言って、私は家事が苦手だ。料理だって、心の底から楽しん
でできない。そんな私にとって、結婚をすることで苗字を失い、「生
活をさせてあげる」という対価をちらつかせられながら好きではない
労働を強いられることを息苦しく感じてしまった。もちろん、夫婦関
係によってその状況は変わってくるだろうし、苗字が変わることや家
事をすることを選択する人たちを否定するつもりは毛頭ない。ただ私
にとっては、「選択できないこと」を強いられる可能性がしんどかっ
た。「自分で好きなほうを選ぶ」のではなく、「なんとなく世の中の風
潮がこうだから、そうするしかない」という空気感が嫌だったのだ。

しかし、その気持ちをうまく言語化できない自分にもモヤモヤを抱え
ていた。そしてそれは決して、「パートナー間」だけの問題ではない。
例えば、夫が妻の苗字にすれば「マスオさん」と呼ばれることだって
あるし、夫が「主夫」で家事や子育てをすることに対する偏見はまだ
まだ根強いと思う。夫婦間で話し合ってお互いの納得できる結論が出
たとしても、周りの人たちから受ける偏見に苦しまなくてはならない

場合もある。世の中の「ジェンダーバイアス」がなくならない限り、「女」と「男」が一緒にいることでしんどさを抱えてしまう人たちがいて、私はその「しんどさ」を敏感に感じ取ってしまっていたのかもしれない。

「女性」ではなく「美樹」だった

そんなしんどさを抱えながらも、私は自分のことを「異性愛者」だと思い込もうとしていた節があった。正直に話すと、私は交際経験が多い。美樹と付き合うまでに、お付き合いをしてきた男性は 20 人をゆうに超えている。その中には 3 年以上お付き合いをした人たちもいるが、20 代で 20 人以上ということを考えると、矢継ぎ早に「彼氏」が変わっていたことがわかる。交際人数というのは「恋愛経験」とは比例しない。なぜならその多さは、「破綻した人間関係」の数だからである。私はどんな男性であっても「マッチング」できなかった。しかし、自分を異性愛者として認識していたため、「自分の性格に問題があるのではないか」と考えるようになっていった。でも本当に私が向き合わなければならなかったのは、「自分が"誰"と一緒にいたいか」という気持ちだったのだ。

自分を「異性愛者」と認識していた私にも、実は女性に対して「これ

は恋愛感情だったのかもしれないな」という出来事は何回かあった。しかし私はそれを「いっときの気の迷い」として処理をして、真剣にその気持ちに向き合うことを避けていた。だっていつかはなんとなく結婚をしなければいけないし、自分の家族が「私が女性と付き合うこと」を受け入れてくれるはずがないと思い込んでいた。「女性としての売り値」で自分を評価していたからこそ、その対象はいつだって男性だった。年齢が上がっていくにつれて、だんだんと「買い手市場」のようになっていく中で、「女性」という存在は同業のライバルみたいな存在だった。しかし一方で、魅力的な女性に対する「なしではないな」という気持ちも膨らんでいったのだった。

初めて女性との交際を意識したのは、『Faking it』という海外ドラマを見てからである。内容としては、学園で注目を集めたい親友同士の女子2人が、レズビアンカップルを装って「人気者」になろうとするドラマである。一見よくある学園もののようにも見えるが、偽装ではあるけれど、レズビアンカップルが主人公になるドラマは、その当時は珍しかった。結果的に、片方の女の子は本当に恋に落ちてしまう。今の私がそのドラマを見たら、きっと「ん？」と思うことはあるとは思うが、「異性愛者の2人が疑似恋愛を通して、同性への愛情に気づいていく」というストーリーは、その時の私にとっては感情移入がしやすかった。そしてそのタイミングで、身近な友人が同性と交際を始

めたことによって、LGBTQ コミュニティというものがより一層身近に感じられるようになった。「異性愛者」の立場で東京レインボープライドなどに参加をすることはあったのだが、そこで初めて「当事者かもしれない」立場で、新宿二丁目などに足を向けるようになったのだ。その中で、「もしかしたら、私は女性と交際したいのかもしれない」という思いが日に日に強くなり始めていった。

美樹との交際が始まった時、私はまだ自分のことを「バイセクシュアル」として認識していた。それを自覚しただけでも、肩の荷が降りた気持ちになった。社会から受ける偏見に心を痛めることもあったが、それでも最初に感じたのは「性役割にとらわれない平等な関係」への喜びだった。「男性のフリ」も「女性のフリ」もする必要がない、どこまでも平等な関係性の中で、次第に「今まで自分が抱いていたモヤモヤ」を解明することができた。

とはいえ、同性カップルの中でも「男性性」「女性性」のような、性別のステレオタイプを当てはめてしまう人たちもいる。ボーイッシュな見た目をしている子たちが、「男性性」を強いられてしまう場面は少なくない。同性のパートナーがいるはずなのに、「どこまでも平等な関係性」を築くことに難しさを感じる人たちがいたのだ。例えば、「荷物を持つ」とか「お金を支払う」とか、そういったステレオタイプに直

面する場面に多く遭遇した。そしてそれを「強いられている」多くの当事者たちがしんどさを抱えていて、そこにも根深い「性差別」があることを知った。

私がモヤモヤを解消できたのは、「女性と付き合ったから」ではなく、あくまで「美樹と付き合えたから」で、同性同士、異性同士のカップルに限らず「社会に蔓延る性差別のせいで、"平等な関係性"を築く機会を逃している人」は多数いる。男性と付き合っていた時に抱いたモヤモヤ、美樹と付き合うことで気づいた平等な関係性、そして当事者になったことで改めて思い知った性差別の根深さという３段階によって得たものは大きかった。

また私はそこで、自分は「バイセクシュアル」ではなく「パンセクシュアル」だということにも気がついた。パンセクシュアルというのは、いわゆる「好きになった人が好きな性」というものである。セクシュアリティは単なる"カテゴライズ"に過ぎないにしても、私にとってはそれを知れたことは大きかった。今まで「男性性」や「女性性」に自分自身がとらわれていたからこそ、「自分の恋愛対象に性別は関係ない」とわかったことで、より一層、美樹のことを人として尊重できるようになったのだ。

セクシュアリティは、レズビアン・ゲイ・バイセクシュアル・トランスジェンダーだけではない。私たちの知らない「カテゴリー」が実はたくさんある。異性愛者だからといって「ストレート」とは限らないし、例えば「アポシセクシュアル」は、他者に性的欲求を抱かなかったり、性交渉に嫌悪感を覚えることだってあるし、「アセクシュアル」だったらそもそも性的欲求や性的指向を抱かない。「デミロマンティック」は心に強いつながりを持つ人にだけ恋愛感情を抱いたりするし、「サピオセクシュアル」は他者の知性や知的な人に性的魅力を感じたり恋愛感情を抱く。同性が好きだからといってゲイやレズビアンに該当するわけではないし、異性を好きだからといってストレートなわけではないのだ。LGBTQ＋の「＋」には、たくさんのセクシュアリティが含まれていて、それらは虹のようなグラデーションを描いている。

こうして性別や性的指向にとらわれなくなっていった私は、今度は「とらわれていた原因は何か」について考えるようになっていった。そして次第に、「フェミニズム」について考えることが多くなっていった。

私の「フェミニズム」

少し、私の話から脱線するかもしれないが、自分の中で大切にしていることを伝えておきたい。

私は昔、「フェミニスト」という言葉をバカにしていた。渋谷駅で女性専用車両を強く訴える人たちを見て「自衛すれば？」とか「誰も興味ないよ」なんて思っていた。「フェミニスト」という言葉は、感情的で周りが見えていない“男性嫌悪”を持つ女性の代名詞だと大真面目に認識していた。

女には賞味期限があって、バカみたいに振る舞うことが美徳だと本気で思っていた。ごく当たり前に、「女は苗字の変わる生き物だから」とか「売れ残らないようにね」と言われて育った。前述した通り、家事が得意なら“女”の価値が高まると信じていた。

だからこそ、交際していた男性の家族像に添えない自分を、「でき損ない」のように感じてしまうことだってあった。私は、“常識”とされてきたことを信じて疑わなかったし、そうやって大人の女性や男性たちから教えられてきた。テレビは当たり前のように「性別への

ステレオタイプ」を肯定していて、それを疑わずに育ってきた。そういった「当たり前」に疑問を抱くことで「面倒くさい女」のレッテルを貼られることも怖かった。

美樹に出会ったことで、生まれて初めて「人間として」大切にされることを知った私は、自分のモヤモヤを解明することができた。個人として「世間が決めた常識の呪い」から解き放たれた時にやっと、性別にこだわらずに「人間として生きていける自分」に気がついたのだ。自分は「女であること」にきつく縛られ、感覚すら失っていた。私を縛っていたひもが解けた時、感覚が戻る痛みに身が焼けそうだった。

私は女性の立場でしか物を語れない。だって"女"としてしか生きていないから。昔は本気で男性になりたかった。でもそれは「男性の体を持つ」ということではなくて、「男性の立場になりたい」という欲求だった。「家を守る」というよりも、外で社会的なことをするほうが向いていると考えていたからだ。しかし、その考え自体もステレオタイプに縛られていることがわからなかった。

振り返ってみれば、私だって男性に性役割を押し付けていたと思う。「男なのに泣くなよ」とか「男ならこうしろよ」という主語の大きい言葉を平気で投げていたし、その言葉通りに動くべきだと考えていた。

だからこそ、「女だから」とか「女なのに」という主語を容易く使う人たちの気持ちが、今ではよくわかる。自分が差別をしていることや、差別を受けていることに気がつかないほうがずっとずっとラクなのだ。

私は性被害を受けたことに深く傷つき、同じ思いをした人たちを「なぜ自衛しないのか」と心の中で責めることで、自衛ができなかった幼少期の自分に罪を擦りつけていた。そして加害者の"性別"である「男性」に性役割やタスクを押し付けることで、罰を与えた気になっていた。また「男性」から性役割を押し付けられることも、私にとっては罰と同じだった。自分が負った傷を相手にも負わせることで傷を癒そうとしていたし、モヤモヤを言語化しないことによって、自分の傷に対して見ないフリをしていたのだと思う。

ほかの章でも触れたように、私たちは少しずつ、日々の生活で刷り込まれている。女は母性本能があって、男や子どもを受け入れてくれて、癒してくれて、いつでも「綺麗」にしていて、謙虚に「夫を立てて」、お金とか車には興味がなくて、年齢を重ねればオシャレを必要としなくなる。外見や年齢について意見をされた時は笑って受け流さなくてはいけないし、自分のための「セクシー」は男性のための「セクシー」にすり替わってしまう。結婚をしたら大半の女性がそれまで使っていた名字を手放すし、夫婦の名字をどうするかという議論が重要視され

ないことだってある。

私たちは自分が思っている以上に、世間が作り上げたイメージに沿うように生きていたりする。もちろん、それを選択することが悪いわけじゃない。ただ、もしもあなたがそのイメージに無自覚で、「息苦しさ」を感じてしまっているなら、少しだけ立ち止まって考えてみてほしい。その選択は「自分に必要」なのか、「女性として必要」なのか。もしも後者なら、あなたにとっての「女性として必要なこと」は、本当に大切なものなんだろうか？

「女性らしさ」や「男性らしさ」というものは、人間が組み合わせて名付けた入れ物みたいなもので、決して「必ず分類されなければけないもの」ではない。そういった性別の「らしさ」に拘ることは個人の自由だが、そこに誰かを当てはめようとするのは暴力的だと思う。

確かに「男性」と「女性」の体のつくりはまったく違うし、仕組みが違うところだってたくさんある。しかし、一時期流行った「女性脳」とか「男性脳」についての科学的根拠は、いまだに見つかっていない。男だからって闘争を好むわけではないし、女だからといっておしゃべりが好きなわけでもない。「女性」か「男性」かなんて単なる入れ物に過ぎないのに、自分がそこから外れてしまう時、なぜかそれを「他

人に説明しなければならない」気持ちにさせられてしまう。

例えば「女なのに、私が母親になりたくない理由は〜」とか「女なのに、オシャレに興味がない理由は〜」とか、ストーリーに仕上げることによって、やっと人が「了解」してくれる気がしてしまう。理由なんて言わなくてもいいのに、「女なのに」とか「男なのに」なんて枕詞は要らないのに、それなしでは「許されない」と思い込んでしまう。

そうやって私たちは、「らしさ」によって首を締められ、そしてまたその手で誰かの首を締めている。その一端を担っているのは、ドラマや映画やテレビ番組、コマーシャル、漫画や小説……また家族や身近にいる誰かかもしれない。

真の平等とは何か

フェミニズムというテーマは、（どんな立場であったとしても）その人の根底を揺るがしてしまうような繊細なものだ。日本は家父長的な家制度を実践することで、社会構造を作り上げてきた。「家父長的な家制度」とは「家父長権を持つ男子が家族員を統制・支配する家族形態」である。

インターネットを介してたくさんの情報が入ってくることで、私の脳の情報処理スピードは急成長を遂げた。その影響で、大好きだったテレビ番組や本や漫画やアニメを見ることができなくなってしまった。表現の中で「これは軽視では……？」と感じてしまうと、心に黒いモヤモヤが浮かんできて、誰かを傷つけていないかどうか考えるようになった。作品や作者に非があるわけではない。私を含めた「誰かの痛みに鈍感になってしまった人たち」が、そうならざるを得なかった過程が、一番の悪なのだと思う。

フェミニズムがいわんとしている「真の平等」とは、傷ついてきた人たちが癒され、性別問わずすべての人たちが尊重し合い、誰かが1人で痛みを抱え込まないような社会を目指すことなのだ。

そして私もまた、その社会を構築している1人で、すべての人たちがその当事者だ。

家族の中の私

私がもらうメッセージの中でも、「家族について」の悩みを抱える人は
多い。血がつながっていようがいまいが、「家族」は、その人にとっ
て最初の「人間関係のロールモデル」になりやすい。しかしながら、
そんな重要な役割を示しているのにもかかわらず、近しいが故にコミュ
ニケーションがおろそかになってしまうことも多い。時には重大な問
題を抱えることだってあるだろう。そして「家族」という閉鎖的な空
間だからこそ、それらの情報は外部には共有されにくい。

支配的な親、機能不全家族、親の不倫、性的虐待、家族からの暴力、
兄弟の不仲、レールを敷かれてしまう人もいれば、ネグレクトを受け
ているケースもある。精神疾患のある家族を持つ人もいれば、身体障
がいを抱える家族がいる人だっている。深刻な問題はなかったとして
も、家族との亀裂によってストレスを抱える人も多い。一番安心でき
る場所であるはずの「家」が、しんどい場所になってしまう苦しみ
を私は知っている。自分を形成してきたものが破壊されるような痛み
と、居場所のない空虚感に苛まれる。しかし私たちに残された選択肢
は３つしかない。向き合うか、逃げるか、我慢するか。それだけだ。
その中でも少しでも家族に「愛情」を感じている人は、少ない望みを

かけて「我慢」を選択する。家族の問題は非常に深刻で、重い問題だ。でもいつだって、選択肢は自分の手にあることを忘れてはいけない。

私にとっての家族像は、いつも 2 パターンあった。「生身の人間同士の家族」と、世間様に見せる「作り上げられた家族」である。しかし裏と表があったとしても、どちらにも嘘偽りはなかった。「作り上げられた家族像」バージョンだとしても、それは私たちには変わりなくて、「よい側面を強く引き出した部分」でしかなかった。自分で言うのもおかしな話だが、私の家族は本当に個性的で、ひと言で言えば「一匹狼の寄せ集め」である。母からも「家族の中で一番"普通"なのはあなたね」と言われるくらい、父も母も妹も、オリジナリティが強くて、一筋縄ではいかないタイプである。でも私はそんな彼らのある意味人間らしいところが大好きで、どんなにぶつかったとしても、結局は許してしまうし、いろいろなことを許されてきたと思う。今でこそそう感じることができるが、そう思えるまでには大変な時間がかかった。

私には大学生になっても「門限」があった。母から直接的な指示があったわけではないが、夕食が始まる 18 時には、自宅に帰ることが求められていた。夜遊びは許されず、なんとなく「母の規律」の中にいるほうが関係性がよくなるような気がして、私はそれをずっと守ってきた。私の母は、先回りして全部を与えようとしてくれるタイプで、私は時

間がかかってもいいから納得をしながら進んで行きたいタイプだった。そのすれ違いでぶつかることも多くあった。そして母には母の「理想」があって、私には私の「理想」があって、それが分離した時がしんどかった。きっと母も苦しかったと思う。

父は選挙区で過ごすことが多かったため、高校生になる頃には年に数回しか会えなくなった。妹は真面目で、私とは正反対の性格をしていた。私のことを好いてくれていたが、カインコンプレックスを抱えていた私は妹を冷たくあしらった。きっとそれによって妹を傷つけてしまったこともあったと思う。私はとにかく、家で過ごすことが嫌いだったのだ。家族のことは好きなのに、彼らといるだけで自分の未来や人生に向き合わなければならない気がしていた。逃げるように外で過ごした。母には平気で嘘をついて、学校が休みの日も「部活がある」といって外出したり、「勉強をする」といって遊びに出かけたりと、もっともらしい理由をつけては外に繰り出していた。そして、その罪悪感を押し潰すように「母が私に嘘をつかせている」と思い込むようにしていた。今だからこそ、母に多くの苦労をかけてきたと思う。

そして何よりも嫌だったのは「家族の問題に他者が介入してくる」ことだった。

家族というものは、どんな人間関係よりも閉鎖的で、1か100かでは判断できないものごとがたくさんある。それを関係のない他人から評価されることは、ある種のストレスに繋がりやすい。臨床心理士として働いていく中でも、「自分は親の悪口を言ってすっきりするが、それを他人に同調されると嫌な気分になる」という話をしてくれた人もいた。それくらい「家族」というものは、本人とってはセンシティブな問題になりやすいのだ。

そして私の環境は、それが行われやすかった。「私の家族」のことを、赤の他人が好き勝手に揶揄し、攻撃を受けることだってあった。家の前に週刊誌の車が張り込む不快感を、誰とも共有できなかった。プライベートな空間であるのにもかかわらず、常に誰かから見られてジャッジされる恐怖感を、人に話すことはできなかった。

そんな日々を繰り返す中で、私の中で「誰に話しても無駄だ」という思いがどんどんと膨らんでいく。自傷のことだって家族のことだって、他人から見れば「共感できないことのほうが多いはずだ」と思い込んでいた。たとえ専門機関にかかったとしても、誰かがそれを話したら「〇〇の娘が自傷行為をしていた!?」みたいな誇張された記事が出てしまうかもしれない。数年前の日本は、今よりももっとメンタルヘルスについて偏見が強かったからこそ、それが浮き彫りになるのが怖かった。

臨床心理士になった今、精神科などの専門機関にはちゃんと「守秘義務」というものがあることが理解できたが、当時の私にその事実を信じる強さはなかった。

人に話さない癖がついてしまった私は、どんどん自分の中でのストレスに向き合えなくなっていった。父や母の話を聞くことはあっても、私のほうから彼らに打ち明けることは一切なかった。妹とは近況を伝え合ったりいろいろな話をしてはいたものの、感情的な「想い」みたいなものは話すことができなかった。友人には「事後報告」をすることが多かったし、さまざまな人の相談に乗っていたからこそ、自分の弱い部分を相手に見せられなくなっていった。

自分に「不幸」が起こった時、私は決まってそれを「ネタ」として捉えようとした。どんなに辛いことがあったとしても、友人に話す時は笑いながら話した。どんな苦しみも、楽しくハッピーに面白く片付けようとした。苦しければ苦しいほど、面白かった。明るい話にすることでしか、私は「痛み」を伝えられなかったのかもしれない。それは実は「マニックディフェンス（躁的防衛）」といって、のちに出てくる「防衛機制」のひとつでもある。しかし、笑って受け流していたストレスが積もりに積もった時、それは「体」に現れ始めたのだった。

体に現れたSOS

ストレスを抱える中で、最初に「体調がおかしい」と感じる人は多い。「心の痛み」は可視化できないからこそ、「ストレスが溜まってるよ〜」と体が表現してくれることも多々ある。私も、そのシグナルを受け取った1人だった。

そういった体からのSOSを慢性的に抱える症状を、専門用語で「身体症状症（以前は身体表現性障害）」と呼ぶ。身体症状症とは、体の検査では異常が見られないのにもかかわらず、痺れや痛み、下痢や便秘、吐き気などの身体症状が長期にわたって起こるものである。また体に力が入りにくくなったり、めまいや動悸、けいれん発作が起こるものもある。例えば、「学校（仕事）に行く前に、腹痛や頭痛になりやすい」という症状が何度か続き、病院に行ったのに明確な原因が見つからない、といった場合には身体症状症が疑われることがある。

そして身体症状症とは別に、「心身症」というものもある。これは、「ストレスによって実際に引き起こされる体の病気」を指す。例えば、胃潰瘍や喘息や月経不順、関節リウマチやアトピー性皮膚炎などが挙げられる。ただ、それらの症状があったからといってすべてが「心身症」

だとは言い難く、診断が難しい場合もある。

もともと私は、自分の感情を言語化しにくく、ストレスも自覚しにくい性格だった。良く言えば「ポジティブ」、悪く言えば「鈍い」側面もあった。だからこそ、他人からは「加奈は強いよね」なんて表現をされてきたし、自分でもその評価に満足をしていた。結果的には、言葉にする前に、衝動的に自傷行為をしてしまっていたし、「嫌なこと」が起こった時に身が悶えるような頭痛を抱えることも多かった。でも、それらが「なぜ起こっているのか」わからなかった。前述した通り、そもそもリストカットを「自傷行為」として認識していなかったし、頭痛についても「偏頭痛の家系だからな〜」なんて考えていた。

最初の症状が出始めたのは大学３年生の時で、就職活動の真っ最中だった。当時の私は「大学院に行く」という選択肢はなく、メディアで働くことを目指していた。皆と同じようなスーツを着て、大人からの「判定」を受ける。その行為は、私にとってはとんでもなくしんどかった。その頃の私は、初対面の人に「自分のアピールポイント」を伝えることが苦手だった。自分のことすらわかっていない状態で、自分の長所や将来を、断言できるスキルを持ち合わせていなかった。投げかけられる質問に対しても正直に答えすぎてしまって、結果的にから回りしてしまうことが多かった。

しかし「楽観的であること」を誇りに思っていた私は、「まぁいつか終わることだから」と悠然と構えていたつもりだった。ある日、面接から帰ってきて服を脱いでみると、背中一面に蕁麻疹<ruby>蕁麻疹<rt>じんましん</rt></ruby>ができていた。その時は一瞬ギョッとしたが、家にあった軟膏を塗って就寝した。次の日には、蕁麻疹のことは忘れてしまっていた。

それから数日経って、今度は「生理が止まらない」という現象が起きた。いつもなら5日で終わるのに、1カ月間も出血が続いたのだ。貧血だったため、出血し続けるのは「まずいな」と感じた。しかしながらその時も、「ストレスによるもの」という認識はなく、「子宮の病気になったのかもしれない！」と思ってしまった。不安を抱えながら行った産婦人科で診察を受け、そこで初めて「ストレスから起こっていますね」という説明を受けた。併設されている心療内科に行くと「今のあなたの状況で専門機関にかからないのは、危険すぎる」と言われ、薬を処方してもらった。1錠だけ飲んでみたものの、「安定剤って怖いし、ストレスは自分でケアできるでしょ！」という自己判断で、薬はゴミ箱行きとなった。

その後月経は止まったものの、それからは少しずつ「呼吸のしづらさ」を感じるようになる。自他共に認めるヘビースモーカーだった私は、ぼんやりと「タバコやめなきゃな〜」なんて思っていた。そして

そう思いながらも、嫌なことが起こるたびに少しずつタバコの本数は増えていった。最終的には、1日2箱半（約50本）を吸うようになり、荷物の中に「1カートン（10箱）」入っていないと落ち着かなくなった。今思えば、ニコチン依存があった可能性も否定できない。心身症とタバコの弊害をダイレクトに受けた体は、ついに壊れていった。

忘れもしない大学からの帰り道、親友と一緒に喫茶店でお茶をしていた。その時は「最近、息がしづらいんだよね。息苦しい」「大丈夫なの？病院行ったほうがいいんじゃない？」「いや、まだタバコ吸えてるから大丈夫」なんて会話をしていた。私にとっての健康の指標は、「タバコを気持ちよく吸えるか」どうかだった。

帰路に着いた私は、ますます息が吸えなくなり「いよいよまずいかもしれないぞ……」と感じた。深呼吸をしても、浅い呼吸にしかならない。酸素が足りなくて、目がチカチカするような感覚に陥った。

その夜、私はついに呼吸ができなくなった。本気で「死ぬかもしれない」と思った。床を這いつくばって、家族に助けを求め、近くの病院に救急搬送された。

結果的に、私は1週間入院することになった。診断は、気管支炎と肺

炎、そして気管支喘息のトリプルパンチだった。主な引き金は喫煙によるものだったが、最初のきっかけは「ストレスによる心身症」だった。心のSOSを無視し続けたことにより、私の体は限界を迎えたのだ。点滴が刺された腕を眺めながら、「ストレスって恐ろしいな」と思った。私は完全に舐めきっていたのだ。「こんなに大変なことになるなら、もっと早くストレスと向き合うべきだったな〜」とも考えた。「息ができない、今すぐに助けてほしい」という体のサインは、心の叫びをそのまま体現していた。

これを読んでいる方の中にも、「心の叫び」が体に現れてしまっている人はいると思う。ストレスというものは本当に恐ろしくて、気づかないうちに自分の免疫力を低下させていることもある。もしもあなたが、原因不明な体の不調に悩んでいるのであれば「どんなシチュエーションで起こるのか」について考えてみてほしい。

もちろん、まずは体の検査をすることが先決だ。それでも理由がわからないのであれば、「ストレスからくる症状」である可能性は高い。自分でストレスマネジメントを試してみるのも方法のひとつではあるし、心療内科や精神科、またはカウンセリングなどの専門機関に頼ってみることもおすすめする。

大切なのは「心の声」に耳を傾け、自分の感情を観察してみるこ

とでもある。場合によっては職場や学校などの環境を変える必要だってあるかもしれない。「無意識の現象」は、あなたが思っているよりも「あなた自身」を表している。

あなたの今していること、身を置いている環境は、はたして「自分のキャパシティ」でカバーできるものだろうか。あなたの息がしやすい場所は、もしかしたらほかにあるのかもしれない。しんどい時は、体を休めることだって大切だ。一生付き合っていく大切な"心と体"だからこそ、小さなサインを見逃さないよう、日々問いかけ続けていきたい。

第4章

知りたい

相談された私たちにできること

「なぜ臨床心理士になったのか」という理由のひとつとして、「相談を受けることが多かったから」ということは大きく影響をしていると思う。昔から私はとにかく "言葉" を使ったコミュニケーションを得意としていて、友人に対しても「とことん話す」ことを心がけてきた。毎晩のように長電話をして、常に言葉によるコミュニケーションをすることで、「人とつながっている」という実感を持ちたかったのかもしれない。だからこそ、その延長線上で「相談を受ける」機会も多かった。

まず私が相談に乗る上で最初にやっていたのは、その人の性格や家族構成、血液型、誕生日を把握すること。血液型と誕生日に関しては、今でこそ「科学的根拠はない」ことは理解しているが、専門的なスキルがなかった当時の私にとってはその人の全体像をなんとなく把握しておく上で大切な要素だった。

そして、相談内容が「特定の相手との人間関係」である時には、相手の情報も同じように（相談者の知る限り）教えてもらった。まずはその人の性格をなんとなく捉えた上で、家族構成からの影響と照らし合わせていく。そこからその人の対人スキルを予測し、アドバイスをし

ていた。根拠はなかったものの、幸いにもそのやり方は好評で、いつしか「友人の友人」からも相談を受けるようになっていった。当時はブログもやっていたため、コメントをくれる人たちから受ける相談もあった。立ち位置だけ見れば今と変わりはないものの、きっと今の私から見れば横から訂正したくなるような言葉も伝えていたと思う。

ただ、そんな素人の真似事のようなことをしていた私に相談を持ちかけて来る人は多く、改めて「世の中は相談できない人ばっかりなんだな」とも感じていた。その頃は「臨床心理士になりたい」ということは微塵も考えていなかったため、ただ純粋に、心の赴くままに話を聞いた。

私のスキルは未熟だったにせよ、中学校から大学を卒業するまでの約10年間の中で、相談された回数は1000回をゆうに超えていたと思う。それだけ周りの人たちがたくさんのSOSを出していたのだ。相談内容は主に恋愛相談で、交友関係についてのものも多かった。皆が皆、「誰かに受け止めてもらいたい」と感じているようだった。相手の気が収まるまで、何時間も話を聞くこともあった。そうやって誰かの話を聞いているだけで、自分自身が救われていくような気がしていたのだ。「秘密を共有してもらえている」という、私に向けられた信頼に安堵することもあった。

当時の私は、対面で話を聞く際には、相手が話し終わった後に大きな
ハグをしていた。日本人にはハグをする習慣がないため、戸惑いを見
せる人もいた。しかし私の胸の中で涙を浮かべる人たちを見ながら、
「みんな温もりを求めているんだな」と感じた。今でこそハグはしない
ものの、相談者のことを強く抱きしめるイメージをしながら話を聞く
ことは多い。専門家になるための大学院で学ぶ中で、考え方を改めな
ければならないことも多かったが、基本的なベースはあの頃と変わっ
ていないと思う。ただ、当時はまだ私自身が自分と向き合えていなかっ
たために、自分の成功体験を押し付けてしまったり、感情移入をしす
ぎてしまうことも多々あった。だからこそ「専門的に学んでいない中で、
誰かの相談に乗ることのリスク」については、私自身が痛感している。

質問コーナーなどを設けていると、「悩んでいる人の話を聞く時はどう
すればいいか」といった相談が来ることがある。私は、"医療行為とし
て相談を受けるわけではないケース"に対して、次のように返すこと
が多い。

＊基本的には、その人の味方であるスタンスを崩さないこと。
＊最初から頭ごなしにアドバイスをしようとしないこと。
＊自分の成功体験や価値観を押し付けないこと。
＊その人の歩んできた人生を尊重すること。

＊自分が悩んでいる時は、極力相談に乗らないようにすること。

＊自分のキャパシティを超えそうであれば、一線を引くことも大切であること。

＊身近な人であれば、一緒に専門機関に行くなどの"行動"を示してあげること。

まず基本のスタンスである「その人の味方であること」というのは簡単に見えて、なかなか難しかったりする。大抵の人は「自分の味方」に、闇雲にジャッジをされたり、批判をされたくないと思っているからだ。これは「最初から頭ごなしにアドバイスをしようとしないこと」にも通じている部分がある。例えば相談者がその悩みについて何年もかけて悩んできている場合に、「その話を聞いてまだ５分しか経っていない私」が思いつくことなんてとうに実践している可能性が高い。よかれと思ったアドバイスが、相談者にとっての"負担"になってしまった時、それはもう「真の味方」ではなくなってしまう。だからこそ、まずは話を聞いて、相手の生きてきた道筋を肯定し、相手にとっての「安心な場所」を作ることが大切だと感じている。そこで改めてアドバイスを求められれば、「○○さんがまだ実践していないのであれば、こんなことをしてみるのはどう？」と伝えることもあるかもしれない。

次に大切なのは、「自分の成功体験や価値観を押し付けないこと」だ。

人間の脳は非常に都合よく作られているため、「自分がやって成功したこと」が最善策のように錯覚してしまうことは多々ある。しかし、すべての人間が同じ環境に身を置いているわけではなく、能力や得意不得意も何もかも違うのだ。私にとって最善であったことが、その人にとって最善だとは限らない。また「私はこういう考えだから、こうだと思う」と断定して相手をジャッジすることで、途端にその空間は「安全な場所」ではなくなってしまう。人は「価値観を押し付けられたこと」は記憶に残りやすいけれど、「価値観を押し付けてしまったこと」は案外覚えていない。相談は「議論」とは違うものであるからこそ、相手の価値観の中で話を聞いていく姿勢は大切だと感じる。

4つ目の「その人の人生を尊重すること」というのは、先ほどの「頭ごなしにアドバイスをしないこと」に似た部分がある。自分が見えている世界というのは、実はものすごく情報が限られていて、「相手のことをすべて理解できている」という感覚は"妄想"に近い。相手の内面については「接触した回数」でしか判断材料がないはずなのに、なんとなくその人が「自分の想像通りの生活」をしているように錯覚してしまうのだ。

例えば自分の親に関して言えば、私と出会う前の両親がどこで何をしてきて、どんな人生を歩んできたのかを私は知らない。「親」としての

顔を持たない彼らの姿を、私が知る由もないのだ。しかし私に見えている両親のパーソナリティを、まるで「彼らの人格そのもの」のように捉えてしまう時がある。

また、よくあるパターンで言えば、「恋人の過去の話を聞いて、ショックを受けた」というものだ。出会う前の恋人がどんなことをしていようが、はっきり言って自分自身には関係のない話である。だからこそ「相手の知らない一面を知ってショックを受ける」というのは、相手の人生を丸ごと尊重しているとは言えないだろう。自分の「知っている」相手も、「知らない一面を持つ」相手も受け入れた上で、その人の人生に耳を傾けることは重要である。

そして、残りの3つは、まとめて説明させてほしい。これらは、非常に大切なポイントでもある。まずは「自分が悩んでいる時は、極力相談に乗らないようにすること」。人は悩みを抱えている時、自分で思っている以上に視野が狭まっている。そういう時は相談者からの話を重荷に感じやすくなる上に、自分の悩みを相手に重ねてしまって感情的になりやすくなってしまう。最悪の場合は、相談者との間に亀裂が生じてしまうことだってあるだろう。自分も悩みを抱えている際には、まず「私も悩んでいるから、余裕がない」と、ひと言伝えておくことも必要かもしれない。

そしてこれらと同様に重要なのは「自分のキャパシティを超えそうであれば、一線を引くこと」である。前述した通り「相談に乗る」という行為は、容易いことではない。自分を制限しながら相手を許容していく行為は、時に苦痛を強いられることもあるからだ。

また、最初は良かったとしても、何度も相談に乗っていくうちに重荷になってしまうことだってあるだろう。日本では「感情労働」というものに対して対価が支払われにくい土台があるため、「1度相談に乗ったら、感謝をされないまま、なし崩しに相談されるようになった」というケースも出てくる。そんな中、あなた自身が「これ以上は相談に乗れない」と、"お手上げ状態"になってしまったとすれば、相談する側からすると「やっと信頼できる人が見つかったのに、急に裏切られた」という傷つき体験として受け取られてしまう危険もある。だからこそ、「ここまでは聞くけど、ここからは専門機関に相談したほうがいい」というスタンスは必要だと思う。

最後は「身近な人であれば、一緒に専門機関に行くなどの"行動"を示してあげること」だ。近しい人からの相談は、どうしても私情が入りやすくなる。しかし、「自分が悩んでいる時に、大切な人から拒絶されること」は、誰だって心底傷つくのだ。お互いの信頼関係を崩さずに、相手の力になれることはただひとつ。「行動」である。

　　　　　　　第4章　知りたい

たとえ相談には乗れなくても「あなたの悩みは深刻なことだと思うから、話を聞くのがうまい人のところに一緒に相談に行こう。心細いなら一緒に行くから」と言うことはできる。そして何よりも「あなたを愛している」と伝えることも、相手にとっては大きな「支え」になる。相手を傷つけないために、そして自分が傷つかないために、時には専門家に委ねることは大切なのだ。

ただ、日本ではまだまだメンタルケアについての偏見が強く、「精神科に行く」ことへのハードルは高い。そういう場合は、例えば映画やドラマ、本など、メンタルケアに関する"創作物"をすすめてみるのもいいし、「相談に乗る」というスタンスではなく「一緒に考えてみる」というのもひとつの代替案だ。

「自分を受け入れてほしい」と考えた時、そのステップのひとつに「相談」がある。でも、「相談」だけがすべてではない。自分の範疇を超えてしまうような、もしかしたら相手を傷つけてしまうような可能性がある事態にいち早く気づき、「支える方法」を変えていくこと。これが何よりも大事だろう。そのために専門職というものは存在している。「相談される側」であっても、決して独りで抱え込まないことを忘れないでいてほしい。

親友との出会いが変えた
"人間関係の築き方"

私には生涯を通して関わり合いたいと思える親友がいる。ここでは仮に、「B子」としたいと思う。

B子とは、小学校から大学まで同じ学校に通っていて、仲良くなり始めたのは中学2年生の時だった。部活もクラスも一緒だったものの、彼女はなんとなく「近寄りがたい」雰囲気を持っていて、積極的に「この子と話したい」と思えるような相手ではなかった。

中学2年生の時の私は、前述した通り「グループに属すること」について疑問を感じ始め、少しずつ周りとの距離をとり始めた頃だった。

彼女を最初に意識したのは、B子が遅刻をした日のことだ。彼女は遅れているのにもかかわらず、颯爽と教室に入ってきた。「遅刻をしているんだから、もっと申し訳なさそうに入ってこい！」と怒る担任教師に対し、B子はおちゃらけることも悪びれることもなく、真顔でただ短く「はい」と答えたのだった。私はあまりに動じない彼女に釘付けになった。私だったらきっと、恥ずかしくてヘラヘラと笑うことしか

できなかっただろう。その時の彼女は、人の意見なんてただの「雑音」にしか聞こえていなそうだった。以降、私はなんの気なしにB子を観察する機会が増えていった。

普段のB子は、まるでロボットのような佇まいだった。大きな声で笑ったり、怒りをあらわにすることもなく、喜怒哀楽の振り幅が人よりも小さいように感じた。みんなで恋愛の話で盛り上がっている時も、誰もB子には根掘り葉掘りは聞けなかった。彼女が放課後に何をしていて、どんなことを考えているのか、まったく見当もつかなかった。だからといって誰からも敬遠されるわけではなく、ただ静かにそこに存在していた。彼女がその場からいなくなったとしても咎める人はいなくって、思春期にありがちな同調圧力とは、なぜだか無縁に見えた。

ある時、部活帰りに、B子を含む数人で「他校の文化祭に行きたい」という話で盛り上がった。「○月○日に○×高の文化祭があるよ」と言うと、「その日はダメなんだよな〜」と友人たちが口にしているなか、ただ1人B子が、「私、行ける」と答えた。正直なところ、私はB子と2人で出掛けることに抵抗を感じたが、もう後には引けない。「全然話したことないのに、B子は気まずくないのかな?」と思いながらスケジュールを合わせ、B子と出掛けることが決まった。

当日、私は朝から「沈黙に耐えられるかどうか」について頭を悩ませていた。これまでの観察記録からしても、B子は「自発的に話題を提供してくれるタイプ」ではない。いざ合流してみたものの、やはり会話のネタが見つからない。しかも、最悪なことにその文化祭は駅から離れたところにあって、電車を降りてからも数十分はバスに乗らなければいけなかった。最初のうちは必死に会話をつなげてはみたものの、B子自身に「会話を続けよう」という意思がなく、長時間のキャッチボールが成立しない。「次は向こうから話を振ってくれるかもしれない」という望みをかけて、私は沈黙した。すると、B子もまた沈黙のまま前を向いてしまった。

そもそも「会話をしない」ということが、彼女にとってはまったく苦ではなさそうだった。自分だけが必死だったことに気がついた瞬間、私は肩の荷が降りた気分だった。同時に、そのシュールな空間に笑いすらこみ上げてきた。人生で初めて、他者との沈黙を心地よく感じた瞬間だった。

目的地の学校に着くと、B子はおとなしく私が進む方向について来てくれた。しかし興味のないエリアになると「私はこっちに行く」といって姿をくらませた。最初こそ動揺したものの、だんだんと彼女の行動パターンに慣れてきてしまって、いちいち感情を揺さぶられることも

なくなった。それどころか、気づくとその自由さに居心地の良さすら
覚えてしまっていた。

その日の帰り道、Ｂ子が「次はどこの文化祭に行く？」と尋ねてきた。
これだけ自分の意思がはっきりしているＢ子のことだ。この質問をし
てくるということは、少なくとも私との時間に居心地の良さを感じて
くれたのかもしれない。私は嬉しくなって、次の予定を伝えた。こう
して私たちは、どんどん一緒に過ごす時間を増やしていった。

ただ、どんなに「仲良くなった」と思っても、彼女は「秘密」を一切
共有してくれなかった。「好きな人がいる」とか「恋人がいる」とか、
例えば「家族とケンカをした」という話も教えてはくれなかった。友
人関係についても、Ｂ子は一切、人の悪口を言わなかった。彼女が何
に興味があって、何が好きで、何が嫌いなのかは、断片的な情報のみ
で「察する」ことしかできなかった。

それまでの私の交友パターンは、「気が合いそうな子とは一気に距離
を詰める」というものだった。「友達」になれそうな子とは夜通し電話
をしていたし、なんでもかんでも秘密を共有し合っていた。だからこそ、
Ｂ子の存在はある意味 "特殊" に感じられた。

唯一明らかだったのは、彼女が「人を信用していない」ということである。「なんでも話してね」と伝えたとしても、Ｂ子のスタンスが変わることはなかった。何かあれば一番にＢ子に話をしていた私からすれば、自分ばかりが彼女を信頼しているような気がして、寂しさすら覚えるようになっていった。それでも、Ｂ子との友情を構築し始めて１年が過ぎた頃には、私はいよいよ彼女にとっての「一番の友達」になりたいと考えるようになった。そこでまず、私は詮索することをやめた。信頼されるためには、まずは相手のペースを尊重しなければならない。「自分のペース」で相手に近寄ることをやめようと考えたのだ。

会話だと「圧」をかけてしまう恐れがあるため、私はＢ子に手紙を書いて自分の気持ちを伝えることにした。

手紙には例えば、こんなことを書いた。

Ｂ子には人との間に大きな壁があるように感じて、たまにそれが寂しく感じること。でも、「私が友達でいることには変わりがないこと。私の目から見てＢ子は「重い荷物」を背負っているように見えること。私はＢ子の荷物を持つ準備はできているということ。Ｂ子はマイペースだし、感情を出すのが苦手だと思っていたけれど、本当はいろんな思いを心に秘めていることをわかっていること。無理に話す必要はないし、た

とえ何も話さなかったとしても、ずっとB子の一番の味方であること。私は急いでないから、いつかB子のタイミングで壁を越えてくれたら嬉しいということ。

ルーズリーフ2枚分、私の文字は裏側までびっしりと続いていた。

手紙を渡すと、B子は少し驚いた表情をしながら「後で読むね」と言った。「返事は要らないからね」と伝えると、少し困惑したようだった。別のクラスで授業を受けている時に、B子から驚きのメールがきた。そこには「涙が止まらない」と書かれていて、その文章を読みながら私も泣きそうになっていた。私は手紙が「押し付けがましくならなかったこと」に心底安堵した。

その手紙を機に、B子からもいろいろな話をしてくれるようになった。"表情に出すことが苦手"なB子と"喜怒哀楽豊か"な私のコンビは、端から見ると凸凹だったようで、ほかの友人からは「B子って何考えてるかわからなくない!?」と尋ねられることも多かった。でも私にはわかるようになったのだ。彼女が「表情に出さない」のではなくて、私が「感じ取れなかった」だけだった。「誰もがわかりやすいサインを提示してほしい」と相手に要求するのは私のおごりだったのだ。それが理解できるようになったからこそ、B子との信頼関係に不安を

覚えることはなくなっていた。

私にとって間違いなく彼女は「親友」で、彼女自身もそう表現をして
くれるようになっていった。B子との出会いが、今の私の人格形成に
影響を及ぼしていることは間違いない。

「依存する友情」と「平等な関係性」

そんなB子とも、大学生になると距離ができ始めるようになった。私
たちは内部進学で、高校からそのまま系列の大学に進んだ。その際に
は、私たちは偶然にも同じ学科を選択していた。しかしB子だけがサー
クルに入り、私の知らないところで交友関係を築くようになっていく。

その頃の私には門限があって、夜遊びなんてできない状況だった。一
方でB子は飲み会に参加し、夜遊びだって嗜むようになっていった。
そんな彼女を見て、私は「人付き合いなんか苦手なくせに！」と一方
的な怒りを抱くばかりで、その怒りの本当の「意味」がわからずに困
惑していた。また、それをB子自身にも伝えられずにいた。

感情のやり場に困った私はB子と距離をとるようになり、授業でも彼
女の側に近寄らなかった。ただでさえ「怒り」という感情を抱きにく

いＢ子が、他者の「怒り」に鈍感になってしまうことは自然だったと
思う。私は彼女に伝わるよう、さらに「怒り」を表に出すようになっ
てしまった。

そんな時、共通の友人から「トイレでＢ子が泣いてたよ」と知らされた。
自分の身勝手な感情に罪悪感でいっぱいになり、ようやく自分の感情
と向き合う必要性を感じた私は、その夜、Ｂ子に電話をかけた。

「なんで怒ってるの？」

Ｂ子に尋ねられ、私は言葉に詰まってしまった。沈黙の中で私はいろ
んなことを考えた。私の怒りは「憤り」ではなく、寂しさからくるも
のだった。Ｂ子が私の知らないところで交友関係を築くことも、私
の知らない楽しい話をしているのも嫌で仕方なかった。私はめちゃ
くちゃ時間をかけてＢ子との信頼関係を築いてきたのに、ほかの
人が簡単にそれをしようとすることが腹立たしかった。私は、時に
感情的になりながらも自分の言葉を使ってＢ子に伝えた。

Ｂ子からすれば、完全に迷惑な話だろう。しかし彼女は「加奈の気持
ちをわかってあげられなくてごめんね。私は人の感情を読むのが苦手
だから、これからも同じような思いをさせてしまうかもしれないけど、

思っていることはちゃんと伝えてほしい」と答えた。あまりにも大人で優しい彼女の対応に、私はひどく申し訳ない気持ちになって「ごめんね」と謝った。

これまで「感情」という分野において「私がB子を察している」と思い込んでいたものが、完全に逆転した瞬間だった。

人間は、日々成長している。私が出会った頃の14歳のB子は、すでにいなくなっていた。私が察していると思い込んでいたB子はとっくに大人になっていて、子どものままでいたかったのは私のほうだったのだ。親友であるはずなのに、私はちっともB子の変化を受け入れられていなかった。「B子のペースを大切に」なんて言っていたくせに、彼女が急激な成長を遂げたら怒りを覚えるなんて、親友失格だった。依存心が強くなればなるほど、「B子の一番の味方」ではいられなくなってしまっていたのだ。

そのケンカを機に、私自身もB子以外の交友関係を築くようになっていった。彼女の重荷にだけはなりたくなくて、私も私の世界を見つけようと思った結果だった。しかし、やはり親友はB子で、私が彼女の味方であることに変わりはない。共有できそうな交友関係には、B子にも加わってもらったりして、彼女は大きな声で笑い、怒り、時にふ

ざけ、私たちは何もかもを共有した。そこにはもう「ロボットみたい」だった B 子の姿はなかった。

依存によって結ばれた友情ではなく、真に平等な関係性を築けるようになったのはそれからだったと思う。そこに至るまでにいろんな葛藤があったからこそ、私はこれから先どんなステージに進んだとしても、彼女との友情に終わりはないと確信している。生涯でそんな人に出会えることは、本当に幸せなことだ。

そんな彼女は今、台湾でシーシャ（水たばこ）の店を経営している。異国の地で自分の夢に向かって頑張っている彼女を、私は心の底から尊敬している。当然、会えない寂しさはあるけれど、もう大学生の時の私のように怒ったりはしない。いつだって思い出を振り返れば、私の側には B 子がいる。

夕焼けが眩しい帰り道、通過する電車の音を聞きながら寄り道のルートを考えた。私が「どこか行こう」と言うと、B 子は必ず「どこ行く？」と聞いてきた。春は満開の桜の下を歩き、成人式は雪の中を着物で歩いた。コンクリートでできた階段に座って話し込むこともあった。カラオケだって、何回一緒に行っただろう。

人生の節目には、必ずＢ子と一緒にいた。今だってそうだ。物理的な距離ができたとしても、心はいつも側にいる。そして彼女はいつだって私の幸せを願ってくれている。

どうか体を壊さないように、と私だってＢ子の幸せを願わずにはいられない。いつかまた歳を重ねた時に、Ｂ子と語る新しい「夢」の話を楽しみにしながら、私は今日も日本で生きていくのだ。

「自殺」をしないほうがいい理由

「自分を傷つけないで」とか「死なないで」と言われるたびに、あちら側とこちら側にわけられてしまった気がして、より一層孤独を感じてしまう。そんな経験をしたことはないだろうか。

私には、ある。

薄っぺらい言葉をかけられるたびに、より一層突き放されている気持ちになって、でもそれが理不尽な怒りだということもわかっていて……。自分について考えるたびに、死に近づいていくような気がしていた。どんなに止められたとしても、「これは私の体で、あなたには関係ないじゃん」なんて思っていた。体を傷つけるなんてラクチンで、死んじゃうなんてもっとラクそうだった。あの日までは。

大学2年生の5月、暖かくなってきた気温に心を弾ませ、私は「どこでお昼ご飯をいただこうかな」なんて考えていた。食堂でテイクアウトしたカレーを持って、校舎から近い芝生でひと口、ふた口、と口に含んでいた頃、遠くで誰かがむせび泣く声が聞こえてきた。

なんとなく気になったので、カレーを食べ終えてから友人とその場所に向かうと、女の子が1人、うつ伏せに倒れていた。「季節外れの熱中症かな」と思い近寄ろうとすると、大勢の教師が駆けつけて来ていた。その数分後には救急車やパトカーが来て、ブルーシートが一面に敷かれた。飛び降り自殺だった。

私が聞いていた泣き声は、目の前で倒れている彼女から発されていたものだった。もっと早く気づいてあげられたら、声をかけてあげられたら、と心の底から悔やんだ。しかし私には何もできなかった。

臨床心理士として歩んでいる中で、死にたい人、死にたくない人、死ねなかった人、大切な人が亡くなってしまった人、そんな人たちと多く出会ってきた。病院には毎日のように、自殺未遂（専門用語では「自殺企図(きと)」という）によって「死ねなかった人」や「もうすぐ死んでしまう人」が運ばれてくる。私のように特殊な現場に身を置いてなかったとしても、生きている限り人は必ず「死」と向き合う。

「死」を言語化して認識するのは、地球上で人間だけだ。きっと、そこに「意味」を見出すのも人間だけだろう。そしてこの日本では「自死」が「尊厳死」として扱われていた時代があった。海外ドラマを見ている時に「HARAKIRI（切腹）」という言葉が出てきて驚いたこともある。

責任をまっとうする上で、「自死を選ぶこと」が美しかった時代が確か
にあるのだ。

そして、言わずもがな、日本は自殺大国である。自殺率は G7 の中で
も最悪と言われている。今年の初めのニュースでは「自殺者、2 万人
下回る」という記事が出ていた。1978 年以来、自殺者数が 2 万人を
下回ったのは 2019 年が初めてだと。しかしそれと同時期に出た記事に
はこういう見出しがついていた。「10 代の自殺率は過去最悪に」。

日本における 15 〜 39 歳までの死因の 1 位は「自殺」である。これは
先進国のデータを見ても日本と韓国だけだ。「年間 2 万人弱死亡して
しまうウイルス」に関しては皆が関心を示すのに、「年間 2 万人弱が
死亡してしまう自殺」には関心が向けられにくいことにも疑問を覚え
る。確かにウイルスは目に見えないし、自分の意図しないところで罹
患する恐れがある。しかし心の問題だって目には見えないし、自分が
「絶対に自殺をしない」なんて、病気と同じく、その時の状況になっ
てみないとわからない。

今までずっと「死にたい」と感じていた私は、大学院で学んでいく中
で大きな壁に衝突した。それは「なぜ自殺をしてはいけないのか」
という問いである。メンタルケアの分野で働く人たちにとって、この

問いは「必須課題」のような側面がある。臨床心理士として働いていく中でも「自殺を止めなくてはいけない」場面は大いにある。だからこそ、大学院ではそういった危機対応と呼ばれるものの教育も受けるのだ。

しかし私は「自死を選ぶことも本人の自由である」と考える節があった。だって死んでしまうことよりも、生きていくことのほうが辛いのなんて当たり前で、そんな重荷を背負わせられるほどの力は私にはなかった。「人生を終わらせてしまいたい」という気持ちが痛いくらいにわかるからこそ、私には否定できない。だからこそ軽々しく「死なないで」なんて言えない。それは今だって同じだ。

だからこそあえて「なぜ自殺を選ばないほうがいいのか」について考えてみると、そこにはいくつかの「考慮できる理由」があることに気がついた。これはあくまで私の個人的な一意見として聞いてほしい。

＜理由①＞
自分が思っているよりも"苦しみ"というものは持続性がなくて、ある程度の時間が経てば、自分次第でその苦しみを"続ける"か"ピリオドを打つ"か選択できるようになる。「苦しみを続ける」というのは、あえて過去のことを思い出そうとしてしまったり、その状況を「放置

する」という選択肢を取ることだ。対して、「苦しみにピリオドを打つ」というのは、自分の痛みを誰かと共有したり、しかるべき場所に相談に行ったり、ケアを受けるのを選択することだ。人はいつだって「希望のある選択肢」を選べる可能性を持っていて、だからこそ「死」を選んでしまうのはもったいない。

<理由②>
あなたを大切に想っているすべての人、そしてあなたに関わる多くの人が、自死の日を境に、暗くて重たい、想像を絶する痛みを強制的に持たされることになる。それはあなたが想っているよりも遥かに苦しく、それを乗り越えるために血反吐を吐くような努力を強いられることになるからだ。だからこそ、1人でもあなたに「親切にしてくれる人」がいるならば、立ち止まって考えてみてほしい。

この2つは、あくまで今の私の価値観であって、これから先も変わっていくと思う。変わってゆくべきことだとも思う。この2つを平たく言ってしまえば「生きていたら悲しみは消えていくから」とか「残された人が悲しむから」ということである。しかし、根拠なくこの2つを言うのは、無責任だろう。だからこそ、根拠を持った上で、私はこの2つを「理由」として挙げさせてもらった。しかし実際にもし「死にたい」と思うあなたが目の前にいて、その思いを知ったならば、私ならこう

言うと思う。「明日、会いましょう」と。

人生というのは大きく捉えれば重たい物であるが、実際には地続きの「明日」の繰り返しだ。あなたは今日1日生きているだけで偉い。明日の約束ができれば、それも本当に立派なことだ。そうやって明日、また明日、と積み重なっていくうちに「生きる」ことにつながっていくんだと思う。

生きること以外からは逃げてもいい

人の体には莫大なエネルギーが流れている。細胞が分裂し、ホルモンが分泌され、電気信号が流れている。よく「死ぬのは一瞬」と言う人もいるが、それをすべて止めてしまうにも膨大なエネルギーが必要だと思う。

しかし、そんなに大変なことなのにもかかわらず、命がなくなったあとに残るのは、永遠の無だ。温かく柔らかかった皮膚は、ゴムのように硬く冷たくなる。心地よい体重は、鉛のように重くなる。自在に動いていた骨たちは、折れてしまうほど脆く儚くなっていく。哲学も宗教もすべて取り払って、肉体だけが残り、消えていく。それが私の認識する「死」である。さまよう魂は、あるのかもしれない。ないのか

もしれない。ただ、残された人たちの心の中には確かに存在している。生きている限り、皆が等しく持っているものが「死」だ。そこに例外はない。今日もどこかで誰かが、自分で命を絶っている。腹を切って出るものは「尊厳」ではなく、赤く光る内臓である。血液は温かく生臭い。傷口は熱い。「死」を象徴化し過ぎてしまうと、その先に待っているのが極楽浄土のように感じてしまうけれど、それは違うと思う。待っているのは「無」なのだ。自分の人生をすべて記録できるのは、自分しかいないのだから、死んでしまったらもう何も残らなくなってしまう。「死んで何かを遺す」のなんて到底できそうにないのだから、生きているうちに記していきたい。真正面から「死」と向き合うことで、「生」とも向き合う。それが私の死生観である。

何度でも言うが、生きてるほうが痛いし辛い。そんなの当たり前だ。だからこそ、ほかの痛みからは逃げていい。だって生きてるんだから。「生きていれば楽しいことがある」なんて無責任なことは言いたくない。そんなの本人にしかわからない。

ただ「死んでしまいたい」の裏にあるのは、「きちんと、生きたい」なのかもしれない。生きることに真面目すぎる人が、「死」を自分の逃げ場として捉えやすいのかもしれない。だから私は「生きることに真面目になりすぎてしまう人たち」の一番の味方でいたい。「生きる

意義」なんて見つけ出さなくていい。あなたがこうやって毎日毎日、息を吸って生きていることが尊い。そして何かのタイミングで「今日はいい日だったな」なんて想ってくれたら、素晴らしいことだ。

汗が噴き出す、コンクリートに反射された光を眩しく感じる。雨上がりの匂いがする。何かに触れれば、硬さや柔らかさ、そして重みを感じる。目を閉じれば、自分の身体の音や振動を感じる。これが「生」だ。あなたが今している呼吸も「生」だ。

季節が巡るたびに、私はあの女の子を思い出す。

彼女にとって人生は「突然終えなければならないくらい」苦しいものだったのだと思う。私にできることは、彼女と同じしんどさを持つ人たちの支えになることだ。私たちは生きている。意思にかかわらず、生きようとしている。ものすごいエネルギーで生かされていることを、一瞬足りとも忘れたくないと思っている。

人生を動かした言葉

私の人生を大きく動かすきっかけとなったひとつに、学生時代のアルバイトがある。

私は大学１年生から大学院を卒業するまでの約６年間、テレビ局でアルバイトをしていた。「マスコミ」というものに強い"不信感"を抱いていた私は、あえて「テレビ局」でのアルバイトを希望した。

政治家の親を持つ私にとって、マスコミは常に「見張り役」かのような存在だった。その見立てはある意味正しくて、メディアには「社会悪と権力の監視者」としての役割がある。しかしながら政治家の家族からすると、「この人たち（メディア）は政治と国民を分断しようとしているのかな？」と思わずにはいられなかった。結局取り沙汰されるのは政局（政権闘争）や、政治家の人間関係ばかりで、伝えるべきことが伝えられていないじゃないかと、「怒り」にも似たような感情を抱いていたと思う。

でも、日々さまざまなニュースが嫌でも目に入ってしまう世の中で、いつまでもそういう「負」の感情を抱いているのはしんどさもある。

私は「嫌い」という意識を捨てるために、メディアの一部になろうと考えた。「政治」とか「メディア」とか、そういう大きな枠組みで物事を見てしまうと、なんだかものすごく威圧的で手の届かない存在に思えてきてしまうけれど、結局はそこにいるのも「人間」だ。大なり小なり、すべての組織は「血の通った人間」が構築している。それを理解して、「敵ではない」と思いたかった。

最初は夏休みの間だけ、A社で短期のアルバイトを始めた。報道番組のAD（アシスタントディレクター）として入り、なんだかスパイになった気分だった。初日にすべての業務についての説明を受け、「みんな忙しいから、やることは自分で見つけてね」と伝えられた。大学１年生、初めてのアルバイト。キラキラとした雰囲気は皆無で、殺伐としている空気にすっかり恐縮してしまっていた。しかもその番組は、毎日生放送を行っていて、絶対に失敗は許されない。周りのスタッフたちは本当に忙しそうで、話しかけられる雰囲気もなかった。

私はとにかく、スタッフの顔と名前を把握して、笑顔で挨拶をすることから始めた。相手からすれば「短期間で辞める、責任感のない大学生アルバイト」だ。「おはようございます」と伝えても、真顔で会釈されたら100点満点、大半は視線すら合わせてくれなかった。

ただ、そこで私の心は折れなかった。「みんな忙しいから、やることは
自分で見つけてね」という言葉はある意味、宝探しの合図だ。私は昔
から母に「何をすれば良い？ と聞かない！ やることは自分で見つけ
出す！」と教育されてきた。まずは自分のできる範囲で、「重要度は
そこまで高くないけど、必要なこと」のルーティンを探した。例え
ばスタッフが飲むお茶の補給、コピー機の紙や備品の補充、コーヒー
カップを洗うこともあった。あとはなんとなく会話を聞き取って、必
要なものを届けるようにした。そうするとだんだん「合わなかった視線」
が合うようになってくる。私が、「人間」として認識された瞬間のよう
に感じた。あくまで私はアルバイトで、責任がないことなんてわかっ
ている。だからこそ、大人が「心配」せずに済むようなタスクを先回
りしてこなすことで、信用を勝ち取りたかった。

もちろん「透明人間」として扱われることに、泣きそうになる時だっ
てあった。トイレに駆け込んで、こっそりため息をつく日だってあった。
これらはアルバイトに限らず、新しい組織に入ってすぐの頃は誰でも
体験することかもしれない。1人で過ごすお昼休憩も、社員食堂はな
んだか肩身が狭かった。しかし「やること」を自分で見つけていったら、
だんだんとお昼に誘ってもらえるようになった。ついにはスタジオに
持っていく備品の管理も任せてもらえるようになった。生放送中にテー
プを届ける仕事もさせてもらえるようになった。仕事の休憩時間には、

スタッフと雑談までできるようになった——。

何より、当初の目的だった「組織は"人間"で構築されている」を知ることができたのは私にとって大きな"報酬"だった。ニュース番組をひとつ作るのに、こんなにも多くの人たちが一生懸命働いていて、彼らが"1分1秒"と戦う姿は本当に格好良かった。A社を去る頃にはもう、私はすっかり「テレビ」の虜になっていた。

運命の歯車がまわりだす

A社での短期アルバイトを終えると、私はまた別のテレビ局B社でアルバイトを始めた。結果的に、私はここで5年間、働かせてもらうことになる。ラジオやバラエティなどいくつかの部署でお手伝いをさせてもらったが、中でも約3年にわたって長期で携わらせてもらったのが、「全国の幸せなニュースを取り上げる」という特別番組だ。

そこでの私たちアルバイトの仕事は、主にリサーチ業務だった。さまざまなニュースの中から「人が幸せな気持ちになる」ような素材を選びリストアップする。放送が近づけばAD業務を担うこともあった。「働く」ということを学んだだけでなく、現場の人たちと話す中で得られる気づきもたくさんあったと思う。

例えば、ディレクター陣は本当に熱い人たちばかりで「人の心をどう動かすのか」とか「正確な情報を誤解なく届けるにはどうすればよいか」を教えてくれた。大人になるとつい「勉強をすること」を忘れてしまうこともあると思う。私だって、「勉強をするのは学生だけだ」と思い込んでいた節があった。でもそこには、自分の「理想的な姿」になるために貪欲に学ぶ大人がたくさんいた。恥ずかしげもなく、謙虚に、多くの知識を得ようと努力する姿は本当に格好良かった。もちろん、なかには「そうではない」人たちもいるとは思う。しかし、私の中に強く根づいていた「マスコミ」へのイメージは、ここで完全に変わったのだ。

そして、Ｂ社で最後に携わった部署での出会いが、「臨床心理学」の大学院を目指す後押しとなった。その部署は、自然科学を取り扱っていて、私はそこで「素材」と呼ばれるテープの管理をする仕事を任されていた。動物好きの私にとっては、癒しを得られる場でもあった。

昼休みは毎日のように上司とご飯に行って、いろんな話をした。

「僕も大学院に行って得たものはたくさんあるから、君も興味がある分野をもう少し勉強してみるのもいいよ」

ある日、うどんをすすりながら言われたそのひと言は、「大学を卒業したら就職しなければいけない」と思っていた私の目の前を一気に明るくした。嫌いだったマスコミも、いつしか居心地がよくなり、ぼんやりと「このままテレビ局で働ければいいかなあ」と思っていた。でもそれはどこか、"自分の将来と向き合う"就職活動から逃げていたのかもしれない。私はその時、自分が「本当に興味のあること」と向き合うよう諭されたような気がしたのだ。

まさか「嫌い」だった業界で働き、そこで出会った人の勧めによって臨床心理の道を志すことになるなんて、その頃誰が予想できただろう。少なくとも、私にはできなかった。

いよいよ、自分と、自分の運命と本格的に対峙する時が来たのだ。

臨床心理学を勉強したい

私が「臨床心理学」の大学院へ進もうと思った理由は2つある。ひとつは「就職活動」に違和感を覚えたこと。そしてもうひとつは身近な知人が「統合失調症」と診断され、何もしてあげられない自分にいら立ちを覚えたことだった。もちろん、今思えば、自分自身がさまざまな「心の苦しみ」を体験していたことも、その分野に引き寄せられた大きな要因だったと思う。ただ、「きっかけ」となったのは、この2つだった。

就職活動をし始めた時、私はずっと心のどこかに違和感を覚えていた。そもそも二十歳そこらの人間に「これからどう生きたいか決めろ」なんていうほうがおかしな話で、大学3年生から始まる就職活動を目の前にして、私の焦りは増していくばかりだった。その頃の私はテレビ局でアルバイトをしており、なんとなく「上司のことが好きだし、このままここに就職したいな」とぼんやりと考えるばかりで、「なぜ就職したいのか」については不透明なままだった。しかし「なんとなく」で就職できるほど、世の中は甘くない。私は必死で「やりたいこと」を探していた。

就職活動は、私にとって本当に苦しいものだった。ただでさえ「ジャッジ」されることに抵抗を感じるのに、見ず知らずの人から「必要か不要か」について判断される理不尽さへの苦しみが日に日に募っていった。圧迫面接を受けた日には、電車の中でこっそり泣いた。普段パンプスを履かない私にとって、就活用のパンプスは「拷問」に近いものだった。どんなに絆創膏を貼ったとしても、皮膚は擦り切れ、血が滲んでくる。毎日パンプスを履くことで、同じ場所が何度も何度も傷ついて一向にかさぶたができない。大人におべっかを使い、話したくない相手とも話さなければいけなかった。時には、「下品な飲み会」に参加しなければならないこともあった。品定めをされる気持ちの悪さが、私には耐えられなかった。

私は昔から、面接というものが苦手だった。その理由は「正直すぎてしまう」からである。例えば「あなたの苦手なことはありますか？」と聞かれれば、「朝起きるのと、集団生活が苦手です」と言ってしまう。今だからこそ「社会性が問われているのに、そんな回答したら落ちるでしょ！」と思うけれど、当時の私は大真面目だった。朝早い面接は起きることが困難だったし、パンプスは綺麗に履きこなせなかった。そんなことを繰り返すものだから、就職活動に苦労を強いられることは明らかだった。

ある日、服を脱ぐと、背中一面に蕁麻疹が出ていた。就職活動をしていく中で、私はだんだん「マスコミ業界」に就職することに希望を見出せなくなっていた。それでも不採用を知らせる「お祈りメール」をもらうと、悔しくて仕方がない。毎回、「いつか必ず、私を採用しなかったことを後悔させる！」と思っていた。

最終的に内定をもらったのは、アルバイトをしていたＢ社の子会社だった。

身近な人の「心の病」

その頃、家族ぐるみで付き合いのあった知人から、私の携帯に連絡が来るようになった。最初は喜んで返信をしていたものの、なんだか様子がいつもと違っていた。明け方の４時にメールが来ることもあった。文体は感情的で、少し支離滅裂な様子で、こちらの返信とは噛み合っていない。なんだか少し嫌な予感がして、母に「〇〇さんって今どうしてるの？　最近連絡がよく来るんだけど……」と尋ねると、「あなたのところにも来てたんだ。私のところにも来ててね、ほかの人に聞いたら、統合失調症っていう病気で今治療中みたい」という答えが返ってきた。

そこで初めて「統合失調症」という病気を知った私は、「うかつに返信して、病状を悪化させてしまいたくない」という思いから、その病気について調べ始めた。統合失調症関連の本を読んだり、インターネットを使って調べることもあった。しかし、情報は山ほど転がっているのに、どう対応して良いのかについてはちっともわからない。頭では理解できたとしても、身にはつかなかったのだ。普段通りに接していいのか、それともいつもよりも話を聞いたほうがいいのか、話を聞くにしてもどうやって対応していいのかもわからなかった。

結局、「下手なことはできない」と、私はメールを返せなくなってしまった。小さい頃からたくさんお世話になってきた人だったからこそ、自分の無力さと不甲斐なさが悔しかった。その時初めて、「臨床心理学について専門的に学びたい」と感じたのだ。

同時に、目の前で自死を目撃した記憶も忘れることはできなかった。もし私の大切な人が「専門知識」が必要な状態に陥った時には、受け止められる器でいたい。私の力の及ばなさによって、誰かを失いたくはないと日に日に強く感じていくようになった。

そんな時に、前述したバイト先の上司から大学院に行くことを勧められたのだ。私は「何歳になったとしても、学びたい時に学んでおか

なきゃ損だよ」という彼の言葉にすっかり感化され、大学 4 年生の 12 月に、臨床心理の大学院を志すことを決意した。

受験シーズンは 1 月だったため、私に残された時間は 1 カ月しかない。その中で集中して取り組めるように、志望校は C 大学院ひとつに絞った。C 大学院は主に夜間の授業を開講しており、朝が苦手な「夜型」の私としても都合もよかったのだ。もしも受験に失敗したら、そのまま就職をするつもりだった。両親にそれを伝えると最初は反対をされたものの、何度か説得するうちに、「やってみなさい」とゴーサインをもらうことができた。

1 カ月間は死ぬ気で勉強に励んだ。私はもともと勉強が大嫌いで、学校の成績も決してよいとは言えなかった。だからこそ闇雲に詰め込む勉強法は脳の容量を超えてしまうため、ヤマをはることにした。

まずは公開されている志望校の過去問をすべて終わらせた。質問項目を覚えてしまうくらい、何度も何度も過去問をやり続けた。わからない単語は徹底的に調べ、その周辺の知識は頭に入れた。人生で初めて、勉強をすることが楽しかった。心理を勉強することによって、過去の悩んでいた自分がクリアになっていくような感覚も覚えた。その時にやっと「これが私の好きなことだったのか」と気づいたのだ。泣き

ながらエントリーシートを書いていた過去の自分とは大違いだった。

本当に好きなことは、「やってみなければわからない」のかもしれない。受験日前夜、眠りにつく前に仏壇の前で手を合わせた。「もし私が選んだ道が正解で世のために働けるのであれば、どうか受からせてください」と。

結果は、合格だった。後に指導教官に聞いた話によると、その年はたまたま入学者を増やすために平均点を下げたらしく、私は無事に滑り込むことができたのだという。1次筆記試験がギリギリだったため、2次の面接は厳しく判定されたと思う。面接では、とある教授から鋭い質問を受けた。

「君はテレビ局に就職することを決めていたのに、なんでこの道にきたの？」
「臨床心理士になって何がしたいわけ？」

今思えば、少し圧迫面接のような雰囲気もあった。終わった後は「落ちたかもしれない……」とひどく落ち込んだ記憶がある。それでも結果は合格。人生で初めて面接がうまくいった瞬間だった。「神様が味方をしてくれたんだ」と思わずにはいられなかった。

数日後、大学院への進学をB社に報告しに行った。申し訳ない気持ちを抱えながら上司に話すと、怒られるどころか「それなら大学院にいる間はここでアルバイトしたら？」と言ってくれた。やはり、組織は「血の通った人間」が構築しているのだ。「マスコミ」というだけで「非人道的だ」というような批判を向ける人もいるが、あの時向けられた優しさを私は忘れることはないだろう。

そこから昼はテレビ局でのバイト、夜は大学院で授業、という生活が始まった。

臨床心理士を目指し、自分を知る

私が進学した大学院は、社会人入学の人たちもいたため、ほかの職種に就きながら臨床心理学の勉強をしている人が多かった。大学卒業後にそのまま進学した同い年の同級生から、お子さんやお孫さんがいる方だっていた。そんな彼らの姿を見て、「何歳になったとしても挑戦させてくれる環境って素敵だな」と素直に感じたことを覚えている。

入学式で改めて教授陣の顔ぶれを見て、「これからこの人たちが先生になるんだ〜」とそわそわしていた。そして圧迫面接をしてきた教授と目が合った瞬間、直感的に「この人と縁がありそうだなぁ」と感じた。その予感は見事に的中し、私は大学院での2年間、彼のゼミ生として愛を持ってしばかれ続けることになる。

臨床心理士になるために大学院で学ぶ項目には、大まかにいうと、
・心理学の基礎知識や歴史などを学んでいく「臨床心理学特論」
・カウンセリングの技術やさまざまなケースについて学んでいく「臨床心理面接特論」
・知能検査やロールシャッハテストなどの知識や技法などを学ぶ「臨床心理査定演習」

などの必修科目がある。

そのほかに、選択科目として教育現場における支援や産業心理、また精神医学なども学ぶ機会があった。そして私の通った大学院は第 I 種指定大学院であるため、カリキュラムの中に「実習」が組み込まれていた。実習内容は、「どこに配属されるか」によって業務の内容が変わってくる。デイケアに配属された人は利用者さんとの支援的なコミュニケーションを求められたり、医療現場では医師や看護師から指示を受けることもある。また大学院によっては、教育機関や司法領域での実習を行えることもある。さらに、最低 I 回は「ケース」を持たなければいけなかった。ケースというのは、実際に生身のクライエントとカウンセリングを行うことである。

大学院での生活は、思っていた以上にしんどいことも多かった。実習や修士論文、またケースを持たなければならないことによって、強制的にアウトプットもしなければいけなかったからだ。ただ授業をボーッと受けているだけでは、知識は身につかない。そしてその知識を身につけなければ、実践的なことは行えなかった。すべてのことが私にとって「知らないこと」ばかりだった。

また、自分の内面の問題に関しても、今までなんとなく誤魔化しなが

ら保たれていたものに、鋭いメスが入るような痛みがあった。大学院に進むまでの私は「自傷だってしちゃうし、そりゃ人間だからひとつやふたつ問題くらいあるでしょ〜。でも、今までもなんとかなったから大丈夫！」くらいのスタンスだった。

さまざまな学びを得た今だからこそ、過去を振り返った時に「あの時はこうだったんだろうな」いう冷静な見立てができるのであって、当時の私はまったく「問題」に向き合えていなかったと思う。例えば授業の中で同級生とロールシャッハテスト（"無意識"に働きかけるパーソナリティ検査）をし合った日も、教室で箱庭を作り上げた時も、いつだって私の中の「問題」は可視化されていた。自傷をした次の日に、「自傷をしてしまう女の子のケース」についての授業を聞く日だってあった。しかし、私は目の前の知識を得ることに精一杯で、まったく立ち止まれていなかったし、自分と向き合うことに躊躇すら覚えていた。だからこそ、ストレスフルな状況は「防衛機制」を働かせることで乗り切ろうとしていた。

人間はストレスのかかる状況に陥った時、「防衛機制」という心理的メカニズムを発揮すると言われている。これは無意識の中で不安やストレスを取り除こうとする行為で、例えば次のようなものが挙げられる。

【合理化】

理屈をつけて正当化すること。自分が傷つかないように、受け入れやすい理由を探して正当化をする。

【投影】

自分の気持ちを、相手の気持ちに映すこと。例えば「Aさんのことが嫌い」なはずなのに、いつの間にか「Aさんが私のことを嫌い」ということにして自分の気持ちを正当化すること。

【隔離】

トラウマティックな体験を自分から切り離すこと。例えば、「辛いことを他人事のように対処しようとする」ことなどが挙げられる。解離症状に似ている。

【否認】

問題を「なかったこと」として扱うこと。例えば、「病気の宣告を受けたけれど、それを否定する」など。

【打ち消し】

罪悪感が生まれる行動に対して、正反対の行動で取り繕おうとすること。例えば「家庭内暴力をしてしまう人が、暴力の後に優しくする」など。

【逃避】

強烈な不安から逃げること。例えば「嫌な出来事があると、ひたすら動画を見てしまう」など。

【置き換え】

不安やネガティブな気持ちによって、他者への行動に移すこと。八つ
当たりやいじめもこれにあたる。

【知性化】

自分自身の中で受け入れられないことを、知識として身につけること。
例えば「人と話すのが苦手なので、話し方の本を読む」など。

【同一視】

他人の好ましいところを、自分の一部のように認識すること。例えば「A
さんのようになりたい」と感じた時に自分とAさんを重ねてしまうなど。

【抑圧】

嫌なことを思い出さないように蓋_{ふた}をすること。例えば「幼少期の嫌な
思い出を忘れようとする」など。

【補償】

自分のコンプレックスを他の面で補おうとすること。例えば「自分は
数学はできないが、英語ができる！」と考えることでストレスを軽減
しようとするなど。

【退行】

幼児的な行動をすることでストレスを軽減しようとすること。例えば
「妹が生まれてから、姉が赤ちゃん返りをする」など。

【代償】

置き換えに似ているが、この場合は「物」になる。ストレスや不安によっ

て物を破壊すること。

【昇華】

本能的な衝動を、社会的に適応した行動で発散すること。例えば、ストレスを運動や芸術などによって発散すること。

【反動形成】

本来の気持ちとは真逆の対応をしてしまうこと。例えば「好きな子に意地悪をしてしまう」こと。

この中で言えば、私にとってストレスを逃避する方法は、ほとんどが「知性化」だった。自分の心の解明できない部分を、本を読んだり授業で学ぶことによって、「平気になった」ふりをしていたのだと思う。それらの知識や情報を自分の中に取り入れたことによって、「きちんと向き合っている」ような気分になっていたのだった。

確かに、「あれ？　私もしかしたら……」という"自覚できていない癖"を可視化するために、"知識"というのは最大の効力を発揮する。しかしそれらはあくまで「きっかけ」に過ぎない。「自傷行為」という単語すら知らなかった私は、本によって「これは自傷行為だったのか！」と気づくことができた。そして臨床心理士として学んでいく中で、それが行われてしまうプロセスや"原因の可能性"についても考えるこ

とができた。しかし、そこから先の私が「問題とどう向き合っていくか」
は、知識だけでは補えなかった。それがわからなかったからこそ、大
学院在学中の私はすっかり「問題児」としてその名を馳せることになっ
てしまったのだ。

授業は熱心に聞いていたと思うし、レポートなどは期限通りに提出し
ていた。しかし１度目の実習先では、心理士の上司とソリが合わなかっ
た上に、大切な書類を落としてしまうミスを犯し、前代未聞の「クビ」
宣告を受けてしまうことになった。ありがたいことに、私の指導教官
が手厚く面倒を見てくれたおかげで、別の実習先に行けることが決
まったが、この事件によって私は自分自身をすっかり信用できなくなっ
てしまった。この事件があったからこそ、私はこれまで以上に忘れ物
に気をつけるようになった。しかし次々に顔を出す「自分の知らない
自分」に、私はすっかり参ってしまっていた。

私が現在のパートナーである美樹に出会ったのは、この頃だった。「自
分の知らない自分」の出現への戸惑いは、セクシュアリティのゆらぎ
と共に浮かび上がってきた。大学院で感じた「自分の知らない自分」
との出会い、そして病院に就職をした私は新しい環境への不安感も覚
える。今まで知性化で誤魔化していた「自分の問題点」が、臨床心理
学との出会いによって浮き彫りになった。そこでやっと私は、「自分自

身がケアされる必要性」について考えるようになるのだ。

大学院を修了した私は、「教育分析」というものを受けるようになる。教育分析とは、いわゆる「カウンセラーのカウンセリング」というものだ。それを受けるきっかけになった理由は、「自分をケアしたい」という気持ちがあったからである。そして、教育分析を受けていく中で、カウンセリングを受ける前の不安感や、話を打ち明けた後の疲労感など、「クライエントはこういう気持ちなんだな」というのを肌身で実感できるようになった。

実は今でも、私は教育分析を受け続けている。始めてからもう４年の月日が経った。ここで得た気づきは、「自己像を正しく掴むことが、ストレスの軽減に役立つ」ということ。自分を知ることこそが、自分を解放する一番の近道なのだ。

自分らしく

「自分らしく生きる」というのは簡単だけれど、実は正しく自己像を捉えることって難しい。他人から見た"私"ははたして「本当の自分」なのか。はたまた、私の思う"私"も「本当の自分」なのか。混乱してわからなくなってしまうことはしばしばあった。

私の場合、ある程度「これが自分だ」という軸は存在していたと思う。例えば、「気が強い」とか「物事をはっきり言う」とか、「いつでもクリアに考えることができる」とか。それは、自分で認識しているものもあれば、他者からの評価で知ったこともあった。私の思う「自分像」は、軸があってぶれることがない。

ある時、そんな"自分"がひっくり返るような出来事が起きた。以前の職場で、ストップウォッチをなくしてしまったのだ。そのストップウォッチは、現場にひとつしかなく、そしてかなり重要度の高い備品だった。最後に使用したのは、間違いなく私だ。しかも最悪なことに、それを「所定の引き出しの中に戻した」記憶まである。しかしながら、その場所にストップウォッチは存在していない。次に使用するはずだった上司から「今すぐに探して！」とお叱りを受けた。

どんなに記憶を辿っても、それを引き出しの中に戻した記憶しかなく、気が動転してしまった。そこには「物事をはっきり言う私」も「いつでもクリアに考えられる私」もいなかった。ただただ迷惑をかけてしまったことに狼狽し、言い訳しか並べられない自分がいた。

結果的に、ストップウォッチは所定の位置から少し外れた場所に落ちていた。きちんと引き出しの中に入っていたのではなく、引き出しの手前に置きっぱなしにしていたものが、なんらかの衝撃によって下に転がってしまっていたようだった。

その時の「引き出しの中に戻した」という自分の記憶の曖昧さにもショックを受けたし、何よりも「大切なことを確認できていなかった自分」にも衝撃を受けた。そこから数週間は凹んでいた記憶がある。でもしばらくして、私は気がついた。「失敗した自分も、そして失敗に凹んでいる自分も、また私自身なんだ」と。

それまでの私は、「プラスの自分」のみを「自己像」として捉えていた。ポジティブに物事を捉えられる時にしか、「私らしい」と感じることがなかった。しかし、実は自分にはいろいろな側面があって、その中には「どうしようもない私」だって含まれているのだ。逆も同じで、「マイナスの自分」のみを「自己像」として捉えてしまう人もいる。しか

しながら、「できる私」も「できない私」もすべて含めて、「自分自身」なのだ。

人間には"コンディション"と呼ばれるものがある。例えば、風邪をひいて寒気がする時に薄着をする人は少ない。暑い時期に、コートを羽織る人も少ない。「天気」とか「体感温度」というものを把握して、自分が快適なように調整できる人はたくさんいると思う。しかし、それが「気持ち」になるとどうだろう。辛い時に、より一層辛いことをしてしまったり、しんどい時に無理をしてしまう人は多い。また「自分の限界」を超えた努力をしてしまう人も多い。「風邪ならゆっくり休んでね」という言葉は理解しやすいのに、「心がしんどいなら無理をしないでね」という言葉になると、途端に理解できなくなってしまったりする。だからこそ、自己像を把握して、自分の「できない」を受け入れることも大切なのだと思う。

例えば、その人本来のものを「±0」として、モチベーションが一番高い状態が＋3、モチベーションが一番低いのを−3まで数値化する。そうすると、「つまずくとしばらく起き上がれない人」の大半が、「＋3」の自分を「これが私の±0だ」と捉えていることが多い気がする。

「心身共に健康で、頑張れていて結構良い感じ！」っていう「＋3」の

時を自分にとっての「±0」だと解釈してしまうから、相手にも「＋3」の状態を求めてしまうし、つまずいた時に本当は「−2」しか下がってないのに「−5も下がっている……」と感じてしまうのではないだろうか（ここで大切なのは、この「±」は能力のことではなくて、あくまで「モチベーション」を指す）。どんな人であっても、「できる私（＋3）」と「できない私（−3）」のポテンシャルは持っている。

ストップウォッチの失敗談から、「−3のできない自分」について向き合ってみると、本当は「勝負に弱い」ことがわかるようになった。肝心な時にミスもするし、注意散漫になって大きな失敗をして、あの時のように上司に怒られることだってある。自傷がやめられない時期だってあったし、今だっていっぱいいっぱいになって子どもみたいに泣き喚く時もある。仕事が詰まっている時は、連絡だっておろそかになってしまうし、度々それで注意も受けてきた。

しかし、格好いい自分も格好悪い自分も全部含めたのが、私の「±0」なんだ。わかりやすく言えば「すっぴん」の状態に近いと思う。SNSで見せている姿は「＋3」の私である。ずっと「±0」の状態でいる必要はないけれど、自己像を捉えながら、臨機応変に足したり引いたりすることは、大切なことだと思う。

インターネットの普及と共に、よくも悪くも自己像を捉えにくくなった気がする。よくわからない「自己プロデュース」を強いられるし、その「プロデュースされた自分」から「本来の自分」に戻れなくなっちゃう人も多い。もちろん、「戻りたくない人」もいると思うけれど。

「±0」の自己像をきちんと捉えることで、自分を責めることも少なくなる。当然、社会に出たら叱責されることだってある。社会に出なくたって、他人に理不尽を強いる人はたくさんいる。でもせっかく生きているんだから、一番の味方であるはずの「私」を、自分自身で責めてしまうのはとっても悲しいことだと思う。

まずは自分を味方につけよう。「できない自分」だって、きちんと把握して「できない部分」を補うことができれば、強力な武器になる。「失敗はチャンスだ」なんて言ったりもするが、本当にいい言葉だと思う。失敗をした時こそ、自分の知らない自分に出会えることができるからだ。失敗が怖いのは「知らない自分」に出会うことへの恐れなのかもしれない。仮にあなたが失敗をして、周囲があなたを「責めるばかり」だったら、自分の置かれている環境の本質を知るきっかけにもなる。「（自己評価も他者評価も含めた）自分を的確に捉えて、自分を味方につけること」、そして「±0の自分と向き合ってみること」は、自分自身と対話するいいきっかけになるかもしれない。

家族と向き合う

私が家族と向き合えるようになったのは、臨床心理の大学院に進んで
からだった。今まで私は「家族」を身内として見過ぎていたことに気
がついたのだ。1人ひとりに歩んできた人生があって、私の知らない
「父」「母」「妹」の側面があることに気がついていなかった。「理想を
押し付けられている」と思いながら、「こんな家族であってほしい」と
いう自分の理想を押し付けていたことに気がついた。

心理療法の中には、「内観療法」というものがある。そこでは、
（1）してもらったこと
（2）して返したこと
（3）迷惑をかけたこと
を具体的に想起する課題がある。その時に初めて、「私は今まで〝し
て返したこと〟ばかりに重きを置き過ぎていた」ことを知った。

家族といっても結局は他人で、素敵なことをすれば好かれるし、嫌な
ことをすれば嫌われる。家族だからといって、必ずしも相性がいいわ
けではない。だからこそ関係を良くしたいのであれば、1人の人間と
して接する必要がある。「家族」と思うからこそ耳を塞いでしまったり、

感情的になることもあるだろう。私だってまだまだ完璧ではない。しかし「家族」という枠組みに甘えずにコミュニケーションを取ることは、のちの自分の人生に大きく影響してくると考えている。

もしあなたにとっての家族が、あなたに理不尽な攻撃をするのであれば「距離を取る」ということはひとつの方法だ。先述した通り、家族といえども「他人」なのだ。ほかの人間と同じように、相性が悪かったり、あなたを苦しめることだってある。だからこそ、「これは救いようがないな」と判断をしたのであれば距離を置くことも大切である。

また、もし「家族との関係性をよくしたい」のであれば、対面によるコミュニケーションよりも手紙やメールで伝えたほうが円滑に進むこともある。

私はある時期から家族に対して、「愛しているよ」という言葉を積極的に使うようになった。家族だって人間だからこそ、コンディションやモチベーションがあるだろう。だからこそ、与えてもらえない時は、まずは自分からしつこいくらいに与えてみるのだ。もしかしたら何か変わるかもしれないし、変わらないかもしれない。しかし「与える」という動作は、決して「相手のため」ではなく、「あなたのため」にある。たとえ決別をしてしまう未来が来たとしても、「私にやれることはやっ

た」と考えたほうが清々しいからだ。そして「相手に見返りを求めないこと」も大切である（自戒の意も込めて）。

今だから言える。私は家族の長所も短所も、丸ごと愛している。

これから先どんな未来が訪れたとしても、私は同じ気持ちでいられる自信がある。秘密だってたくさんあった、今だってケンカをすることもある。でも、それでいい。「愛されてるかどうか」を考えあぐねることよりも、丸ごと愛してしまったほうが心地いい。

もちろん、たまたま私にその手法が向いていただけかもしれない。こうして生きてこられたのも、考えられるようになったのも、確実に母や父や妹がいてくれたからだ。破天荒で感情的で、でも冷静で一匹狼で、口数が多くて寂しがりやで愛情深い3人を、世界で一番愛している。これは誰にも侵害されない自分だけの権利だ。そして、これからもこの事実が変わることはない。

第 5 章

愛したい

♥

初めて知った自分の「愛」

美樹と初めて出会ったのは大学院の１年目が終わる頃で、私は23歳だった。

大学時代から、周りには「女性とお付き合いをしている女性」がいて、なんとなく自分も「女性との恋愛に興味があるなぁ」と感じていた。夜になれば、友人たちと連れ立って新宿二丁目に遊びに行ったりするようにもなった。ただ、イベントやバーなどで女性に声をかけられることはあるものの、その頃はまだ「女友だちって感じだな〜、私はやっぱりストレート（異性愛者）なのかな〜」と思うばかりで、恋愛に発展するような気配はなかった。

YouTube（「わがしChannel」）の中でもお話しした通り、私とパートナーである美樹との出会いはマッチングアプリだった。そのアプリはGPSを使って"近くにいる人同士"をマッチングさせるもので、最初のきっかけは美樹からのメッセージだった。

実はその日、美樹が東京都内で普段通りの生活を送っていたのに対し、私は沖縄旅行の真っ最中。私たちの間には約1553kmもの距離があっ

て、本来なら表示されないところにいた。ところが何かの手違いで美樹の画面に表示された私は、見事に彼女の目を捉えた（らしい）。メッセージの中で「え！ 距離見たんだけど、どこに住んでるの!?」と聞かれ、「東京だよ！ 今は家族と沖縄に来てる（笑）」と返答したことを記憶している。こうして私たちは出会った。

初めて美樹に会った日、彼女は緊張した面持ちで、今はなき渋谷ハチ公前の緑の電車「青ガエル」の前に佇んでいた。今まで男性としか交際経験がなかった私にとって、この時の出会いの印象は強烈だった。同じ女性として、自分と似た作りの体を持っている相手だからこそ、化粧のヨレとか肌荒れとか、毛穴の隅まで見られているような気がして、途端に恥ずかしくなってしまった。

今でこそ「性別なんて関係ない」と思えるようになったが、当時の私の中にはまだまだ「性差別」というものが深くこびりついていて、「相手が女性だからこそ、気になってしまうこと」が確かにあった。例えば「料理のうまさ」だったり「外見への意識」であったり、相手のほうがうまくこなしていると、それだけで「女性として」負けた気持ちになっていた。それがだんだんと、美樹との付き合いの中で「性別にとらわれ過ぎていた」自分が浮き彫りになってきた。「平等な関係性」に心地よさを抱くようになったのだ。もちろん、その前提と

初めて知った自分の「愛」　　　　　　　　　　　　　　　　　211

して「美樹の人間性」がある。私の出会ってきた人たちの中でも、美樹は何かが違っていた。

これまでの人生を、私たちは「絶対に交わることのない世界線」で生きていた。私は自分のことをずっと「孤独」だと感じていて、彼女との目に見える共通点といえばそれくらいしかなかったと思う。しかし、美樹との初めてのデートを終えた後、私は親友に「もし美樹と付き合ったら、絶対に長い付き合いになると思う！」と伝えている。それくらいに、何かが噛み合った。「ウマが合う」という言葉が、こんなにしっくりくることが初めてだった。

美樹と過ごす日々は、非常に刺激的だった。最初の頃はケンカだってした。同性カップルにとって日本という環境は、決して"息のしやすい場所"ではないと思う。同性同士が歩いていたら、当たり前のように「友人」として処理をされてしまうようなこの国で、未来を見据えるほうが難しかった。「どうせ一緒にいられなくなるなら別れたほうがいい」という話し合いを何度したかわからない。自分の人生にだってまだ責任を持てていないのに、相手との未来に責任を持つのなんて無理だった。

でもその度に、私たちは大きな声で自分の思いをぶつけ合った。ケ

ンカをする時はいつだって、お互いに同じ熱量でぶつかり、そして砕け散った。砕け散ったあとは、お互いに反省して、朝まで語り合った。そうやって同じことを繰り返していくうちに、私たちの間には確かな絆が生まれていたんだと思う。自分と同じ熱量でぶつかってきてくれる人が、私にとっては初めてで、いつの間にか美樹に大きな信頼を寄せるようになっていた。

彼女にとって私は、決して扱いやすい人間ではなかったと思う。付き合っていく中で、驚かせてしまったこと、悲しませてしまったことはたくさんあった。でも、初めて自傷を見せた時、感情的になって手がつけられなくなった時、家族とケンカをして抑えきれない思いを爆発させた時、どんな時も彼女は味方でいてくれた。言葉では怒っていても、決して私を1人にはしなかった。

美樹は美樹で、昔はどこか近寄り難く、手負いの獣のような雰囲気を身にまとっているところがあった。優しい笑顔の下に、傷つきを持った素顔がある。どこか自分と同じ匂いがしていて、いつだって彼女の感情が手に取るようにわかる気がした。生まれも、育ってきた環境もまったく違うのに、「姉妹」のような感覚を覚えたのかもしれない。私が今まで「誰にもわかってもらえない」と感じて抑圧していた感情を、美樹もまたたくさん抱えていたのかもしれない。

だからこそ、私が今まで「人からされたかったこと」を率先して行った。

世界中が敵に回ったとしても、私だけは美樹の味方でいること。どんな時も話を聞くこと。相手の言葉にできない気持ちを言語化すること、しかしそれを押し付けないこと。相手の人生にリスペクトを持って、土足で踏み込まないこと――。

よく、「長続きする秘訣はなんですか？」という質問をされることがある。思い当たることがあるとすれば、私たちはどんな時もとにかくよく話し合った。夜が明けても話し続けた。どんなに似ていたとしても私たちはまったく違う人間で、彼女と出会えなかったこれまでの20数年を「ひと言」にまとめることなんてできない。お互いの時間を合わせると40数年分。私たちはまだまだ話し足りないのだ。

美樹と出会うまでの私は、恋愛において非常に不誠実な交際をしてきた。「愛する」ということをまったく理解できていなかったのだと思う。どんな時も私には寂しさが漂っていて、それは何をしたとしても埋まらなくて、たぶんこの世に誕生したその瞬間から、へその緒のようにくっついていたものなのだと感じていた。大好きなマリリン・モンローと同じ 36 歳で死ぬことを目標にして、短い人生をどう刺激的に生きるかということだけを考えていた。

寂しさは、いつも急に襲い掛かってくる。人といる時、おいしい物を食べている時、笑っている時、どんな時でも。時間も場所もタイミングも選ばず、乱暴に、暗闇へと引きずり込んでくる。私は誰かに救われたいのか、それとも、この薄暗くひんやりとした影の中に安息を求めているのか。もはや、そんなことすらもわからなくなってしまっていた。わからなくなって、答えが欲しくて、とにかくただ「愛」が欲しかったのだ。

　だからこそ、美樹との出会いは私自身を大きく救ってくれたし、私は今も変わらず救われ続けている。

「急に襲ってくる寂しさ」から私を引き上げてくれたのは美樹だった。救われたかった自分に気づかせてくれて、寄り添って手を差し伸べてくれた。美樹だから、いつもと違う自分になれた。そして何よりも「愛すること」は動詞であると気がつかせてくれた。愛されたいのであれば、まずは「愛する」ことを行動しなければ、そこに化学反応は生まれない。

　美樹は、いつでも一緒に「愛」について考えてくれる。愛を伝えれば伝えるほど、同じだけの熱量で返してくれる。間違いなく、これは温もりなのだ。美樹がいてくれたら、どんな姿にだってなれる。それはもう「本当の自分」がなんとなくわかったから。無理をしなくてよくなっ

たから。

人間の体は、来る日も来る日も細胞分裂を繰り返してる。そして毎日
毎日、筋肉の動きにも変化がある。私たちの蓄積されていく日々に、
同じ日なんて1日もない。だからこそ、あなたと過ごす1秒1秒を丁
寧に愛していきたい。これからも。

美樹へ

ここで、約束させてほしい。

私の今のゴールは、美樹に寂しい思いをさせないこと。

それはつまり、健康に生きて長生きをして、あなたを先に送り出すこと。

ゴールまでの道のりは、2人で決めていこう。

あなたと2人だって楽しいし、家族を増やしたっていい。

あなたに似た子どもでもいいし、私に似た子どもでもいい。

2人にまるきり似てなくったっていい。

大切なのは、美樹がそばにいてくれることだから。

生きていてくれてありがとう。

よかったら、私とこれからも一緒に生きていきましょう。

あなたと私が「したい」って思ったこと、全部してみよう。

疲れちゃったら、たくさん休んで一緒に考えよう。

どんな時だって味方だよ、私が味方だと心強いでしょ？

私も心強いよ。唯一無二だもんね。

心の底から、愛しています。

これからもずっとよろしくね。

初めて知った自分の「愛」

誰かを「変えたい」と思っているあなたへ

私のもとに届く相談の中には、結果的に「どうしたら相手を変えることができるか」という疑問にたどり着くようなものがある。例えば「彼氏のこんなところを変えてほしい」とか「相手の意識を変えるためにどうアドバイスすればいいか」とか、そういった類^{たぐい}の質問だ。「自分自身を変えたい」という思いがある一方で、「相手にも変わってほしい」という気持ちを抱いてしまうのは、人との関係性の中では珍しいことではない。そもそも「臨床心理士」という職業に対して、「人の気持ち・価値観を変える」というイメージを持っている人が多いからこそ、こういった質問を受けるのだろう。

人は、「〇〇さんと出会って人生が変わった」というような体験をすることがある。恋愛、仕事、友人など、自分を取り巻く身近な関係性の中でも、「この人に出会えたから変わることができた」と思える相手はいるかもしれない。そう思えるような相手がいる人は、大抵はその人に深く感謝をしていると思うし、もしかしたら「自分も誰かの人生を変えるような人間になりたい」と望むことだってあるかもしれない。

もちろん、それは素晴らしいことなのだけれど、その思想は危うさを

はらんでいることも忘れないでいてほしい。「人を変えられる」と思い込むことは、相手の人生へのリスペクトを欠いてしまう時があるのだ。

お互いが持つ言葉の違いを理解する

自分を変えることよりも相手を変えることのほうがずっとずっと難しいのに、「自分が変わるよりも簡単だ」と思ってしまう人は少なくない。他人との関係性においても、相手にばかり要求をしてしまうような間柄では、トラブルを招きかねない。だからこそ大切なのは「自分がどう変わっていくか」、そして「自分自身が変わりたいと思えるような相手なのか」ということなのだ。そして、ここでもっとも重要になってくるのが、「コミュニケーション」である。

人間は生きてきた場所や環境によって、持っている言語が異なる。英語、韓国語、フランス語といった具合に、住んでいる国によって言葉は違うし、また「方言」のように住んでいる地域によって変わる言葉もある。さらにはスラングのように、育ってきた環境による言語の違いも存在する。なかには「感情的な文脈」が心に届きやすい人もいれば、「論理的な文脈」のほうが理解しやすい人もいるだろう。同じ言語を使っていたとしても、その人の生まれた環境や過ごしてきた環境

によって、受け取りやすい言葉は違ってくる。例えば、親が離婚を経験している人と、仲の良い両親に育てられている人では「受け取りやすい言葉」が変わるかもしれない。また「お母さんはあなたを愛している。だって親は無条件で子どもを愛しているから」という言葉が響く人がいる一方で、その感覚を理解できず、まったく響かない人もいる。傷ついてきた経験、感銘を受けた体験も、人によってはまったく違う。似た環境で育ったとしても、その人の感性や体質、また得意不得意によって「価値観」は変わってくる。

「自分の知っている言葉」が「相手も知っている言葉」だとは限らない。自分の価値観や正義と、相手のそれが同じとも限らない。だからこそ、コミュニケーションは難しいのだ。相手の知っている言葉を想像し、言葉を取捨選択しながら、自分の価値観を伝えていく。

そう考えると、コミュニケーション自体が非常に難しいことなのに、その先に進んだ「他者を変える」なんてどれほど無謀なのだろう。

とはいえ、現実として「関係性の中で相手に変わってもらいたい瞬間」は存在すると思う。私だってそう思う瞬間はある。そんな時、私は「相手のマインドは変えられないが、行動を変えることはできる」ということを意識している。そしてそれにはまず、自分自身の行動を振り

返る必要性がある。例えば、相手との共同生活において「家事を分担しよう！」と提案するとして、これだけではあなたの意図は伝わりにくいだろう。「家事」といっても、まずは「相手にとって何が家事なのか」を考える必要がある。そもそも家事には、掃除や洗濯などの名前のついたものだけではなく、「名前のない家事」も存在する。細部にまで気を配りながら家事をしたい人もいれば、1日のタスクとしてルーティンを組み、効率を求めたい人だっている。なかにはまったく家事をしてこなかったために「何もできない」と思う人もいるだろうし、分担するより家事代行など外部に頼るほうがいいと考える人だっている。

誰もが知っている「言葉」の意味を、まずはお互いに擦り合わせていくことから関係性は始まっていく。そのなかで「どうしても譲れないこと」「譲ってもいいこと」を伝え合って、自分たちのルールを作っていく。もしそれがうまくいけば、相手の「行動」は劇的に変わっていくはずだ。

私と彼女が変わったワケ

私と美樹も、最初の頃は持っている「言葉」がまったく違っていた。例えばその頃の美樹は政治なんかにまったく興味がなくて、どんなに私が社会について語ったとしても、顔に「？」と書かれているような

感じで終わってしまった。逆に美樹がファッションの話をする時は私にはよくわからないことばかりだったし、家事に対する価値観もまったく違っていたと思う。なかでも恋愛に関する価値観は、もっとも「難しいな」と感じていた。

私にとって美樹は初めてお付き合いをした「女性」だ。同性との交際が初めてだった私にとって、「誰がヤキモチの対象となるのか」について頭を悩ませることは多かった。もちろん、これは人それぞれだとは思う。しかし私には、イメージすらできなかったのだ。

同時に、私自身も「これはヤキモチを焼いていいのか？」と悩むことも多々あった。だからこそ、お互いに擦り合わせをするべきだったのだけど、私は私で「嫉妬するのが恥ずかしくて抑え込んでしまう」し、美樹は「負の感情を言語化することが苦手」だった。

そこで、私たちはルールを設けることにした。「ヤキモチを焼いてしまう状況になった時」を表す絵文字を作ったのだ。お互いの中で特定の絵文字に意味をつけておけば、視覚的に理解しやすく"言葉で伝える負担"も少ない。また「嫉妬」という扱いにくくて攻撃性の高くなりやすい感情を、少しやわらげてくれる効果もあった。絵文字はこんな感じだった。

レモン：ヤキモチを焼いていて、不快に思っている。

ぶどう：まぁまぁ妬いているが、怒るほどではない。

いちご：SNS などに写真をアップしなければ妬かない。

オレンジ：まったくヤキモチを焼いていない。問題ない。

これは非常にわかりやすかった。例えば「レモン」が送られてきた際には、意味を深く考えずに、その行動をやめればいい。そこに誤解が生じていたとしても、相手が「嫌な気持ち」を感じていることは事実であって、絵文字として送られてくることによってその「事実」を受け止めやすかった。相手の感情についてああだこうだ考える時間が省かれるからこそ、行動に移しやすかったのだ。

唯一難点があるとすれば、絵文字の可愛らしさによって問題が矮小化（わいしょうか）してしまいやすいことくらいだった。相手が「軽んじているな」と感じた時は、そこで初めて相手に怒りをぶつけた。そうやって「私にはこれが地雷だよ」ということを提示しておくことは、関係性にとっては必要なことだと思う。

私たちはこうやって、さまざまなツールを使いながら意味を擦り合わせてきた。長い時間をかけてお互いに妥協しながら調整を行っていくと、ある瞬間からコミュニケーションが劇的にラクになる。これこ

そが「信頼関係」なのかもしれない。2人で少しずつ少しずつ、お互いによって化学反応を起こしながら、私たちは「変わった」のだ。それは私自身の努力の賜物であり、「上から降ってきたもの」でも「時間が解決してくれたもの」でもない。

ありがたいことにSNSで発信するようになってから、「加奈さんのおかげで変わることができました！」と言っていただくことがある。しかし、それは決して「私があなたを変えた」わけではない。受け取った情報をあなた自身が深く考えて努力して、心の中で化学反応を起こした結果、あなたが変わったのだと思う。

そもそも私は、自分の言葉を使って「誰かを救う」とか「人の価値観を変える」なんて言ってしまうことはおこがましいと感じている。それでも発信を続けているのは、「その人の人生の中の、何かしらのヒントになれば」という思いからだ。

どんな人にだって自分自身を変える力がある。
そしてどんな人にだって「他人を変える力」はないのだ。

他者の存在はあくまで「起爆剤」であって、そこから先は自分自身で考察してみなければ先には進めない。カウンセリングも同じで、「カウ

ンセリングに行ったから、悩みが解決する」わけではない。カウンセリングはあくまで「あなた自身を受け入れる」場所で、カウンセラーの言葉はヒントに過ぎない。

私に人は変えられないし、人は私を変えられない。
変わったと思ったとしても、それは自分自身の功績である。

だからあなたがもし、何かによって「自分を変えられることができた」のであればあなた自身を褒めてあげてほしいし、「パートナーの性格を変えたい」と思っているのであれば、あなた自身が行動をして擦り合わせるほかないだろう。

他人と自分を切り離して考えるということは、最終的に自分を守ることにつながっていく。だからこそ、あまりにも負担の大きい相手からは離れたほうがいい。もしもあなたが「相手とどんなにケンカをしても問題が解決しない」と悩んでいるのであれば、それはもう、お互いに持つ「言葉」が違いすぎるからなのだ。

それもまた、あなたとその人の「これから」を守ることになるのだと思う。

誰もが「差別」する心を持っている

ここ数年、インターネット上でも「差別」という言葉を多く見かける
ようになった。しかし、いくら世の中が「差別」という言葉に敏感になっ
たとしても、差別自体はなくならない。これは「いじめ」の構造と似
ている部分があって、差別やいじめは必ずしも「自覚された攻撃性」
を含むわけではないからだ。

そして、この価値観は「受け取る側」に重きが置かれている。だからこそ、
いくら自分の中の「攻撃性」を抑えたとしても、受け取る側が「差
別されている」と思えば、それは「差別」なのだと思う。だからこそ、
すべての人たちがもう一度、自分の価値観について振り返らない限り
この世から差別はなくならない。

日本で生きている人たちは、男性だろうが女性だろうが、必ず誰かの
「差別の言葉」に晒されている。

私たちはアジア人で、"ハーフ"で、在日外国人で、他国にルーツが
ある日本人で、女性で、男性で、性別に違和があって、異性愛者で、
同性愛者で、貧困層で、富裕層で、障がいを持っていて、顔の系統や

体型が何から何まで他人とは違う。「差別をする側」と「差別をしない側」なんてなくて、誰もが皆、その両方に足を突っ込んでいる。生きてきた背景も考え方も何もかもが違っているからこそ、自分の"知らないもの"が飛び込んできた時に、抵抗感を持つことは当たり前だ。また被差別側だから「差別」をしない、というわけではないし、「差別をしない」と心に決めていたとしても無自覚なままわけ隔ててしまっていることはある。

例えば、レズビアンとして生きている人でも「レズビアン」を差別することがよくある。自分がゲイだと自覚した時に「ゲイ」であることを差別してしまって、自己嫌悪に陥ってしまう人もいる。だからこそ、1人ひとりに意識してほしいのは、そうした場面に出くわした際に「これは差別かもしれない」と自覚し、その芽を引き抜くこと。その積み重ねが大事だと思っている。

差別とは何か

では、どんなことが差別なのか。

例えば「ハーフだから美人」「女だからよくしゃべる」「ゲイはおしゃれ」というのも差別のひとつだと思う。「ハーフ」という表現にいたっては、

そもそも「半分」という言葉そのものに私は違和感を覚える。英語圏では、違うルーツを持つ両親から生まれた子のことは「ミックス」や「ダブル」と呼んでいる。そこで暮らす人たちに「あなたは"ハーフ"ですか？」なんて聞いたら、失笑されるどころか怒られてしまうだろう。発した本人は「ポジティブ」な意味合いを持っていたとしても、受け取る側が「わけ隔てられているな」と感じるのであれば「差別」に該当してしまうのだ。

もちろん人によって価値観はそれぞれだからこそ、「ハーフは美人」とか「ゲイはおしゃれ」と言われて違和感を覚えない当事者もいると思う。だからこそ一番大切なことは、いつだって「この言葉によって傷つく人もいる」という自覚を持つこと。もしあなたが「そんなこと言われたら、何も言えなくなっちゃうよ！」と思うのであれば、あなたが今まで言われた言葉で「私は違うんだけどな……」とか「決めつけないでほしいな」とモヤモヤしたことを思い出してみてほしい。

「悪意なき差別」というものは、時として「悪意のある差別」よりも扱いが難しいし、「こんなことを気にする私が悪いのかな」とより一層当事者を追い込む可能性だってある。きっとこれらの経験は、「マイノリティ」じゃなかったとしても、経験のあることではないだろうか。いつだって差別の要因になる価値観は、「女だから子どもが好

き」とか「男だからピンクは選ばない」とかそういう "日常に転がっ
ている" ような思い込みから始まっていくのだ。

恥ずかしい話だが、昔の私は「ゲイの人はみんな "女言葉" で話す」
と思っていた節があった。日本は「単一民族」だと信じて疑わなかっ
たし、「女らしく」とか「男らしく」というジェンダー差別を率先して
行ってしまっていたこともあった。そこに攻撃性がなかったとしても、
大きい枠組みで誰かを決めつけていたし、場合によっては相手を不快
な気持ちにさせていたこともあったと思う。心の中であればどんなこ
とを思ったとしても自由なのかもしれないが、私はそれを声に出して
しまっていた。そして、たくさんの情報に触れたりさまざまな背景を
持つ人たちと話すことによって、ようやく間違いだったことに気がつ
いた。「○○な人は、□□である」という思い込みが、誰かを傷つ
けてしまうことを知ったのだ。そこからはカテゴライズしたり、主語
を大きくして話さないように気をつけている。

「差別」というテーマは、どうしても対立構造のように見られがちだが、
私はそうは思わない。差別をなくすことに、他人との議論はあまり意
味をなさない。なぜなら、どちらかが少しでも「侵害されている」と
感じた瞬間に、防衛本能が働いて議論が深まらないからである。また、
どちらかに攻撃性がある場合には、そもそも議論ではなくなってしま

う。同じリテラシーと情報量を持たない限り、真の議論は難しい。本当に大切なのは「自分自身との対話」と「他者への想像力」だ。仮に対立が生じているならば、その両方を義務づけない限り妥協点は見つからず、永遠に傷つけ合ってしまうだけだろう。

「差別をする」という言葉はあくまで動詞であって、その人の代名詞ではない。だから例えばあなたが差別をしていて、それに気がついたり誰かに指摘された時に、自分自身を守る必要なんてない。あなたの人格をすべて否定しているわけではないから、ただ「誰かが嫌がる行為」をやめればいいだけだ。もしそれを「やめたくない」と感じているなら、それはあなた自身の心の中に、何かしらの"傷"があるサインなのかもしれないと、私は思う。

生きづらさ

アメリカ全州で同性婚が可決された年、私は、ゲイである友人の言葉を参考にしながらジェンダー論のレポートを書き上げていた。「結婚したいと思う?」とその友人に尋ねると、「たとえ日本で同性婚が可決されたとしても、周囲の目は同じだもん。それなら結婚せず隠していたい」という答えが返ってきた。「当事者の立場」について深く考察をできていなかった私は、「えー、そうなの? いまだに差別する人なんているの?」と返した記憶がある。

新宿二丁目で遊び始めて、なんとなく「私そういえば、女の子のこと好きかもしれない時期があったな〜」と気づき始めた時も、「同性婚って必要かな? だって好きなら一緒にいれば良くない?」というのが持論だった。まだまだ私は「当事者」になれていなくて、「結婚できる立場」から「結婚できない立場」を俯瞰するように眺めていた。

LGBTというカテゴライズはあまり好きではないが、「LGBT当事者」と呼べる人たちのなかにも、"その程度の意識"を持っている人は非常に多い。「パートナーシップ制度があるからいいじゃん」と思っている人たちだっている。「LGBT」というカテゴリーにわけられている

からといって、皆が皆、同じ問題意識を持っているわけではない。自分自身がそうだったからこそ、その現実を痛いくらいに感じている。

日本では毎年5月に「TRP（東京レインボープライド）」が開催されている。ニュースでLGBTの文字を目にすることも多くなったし、戦後と比べれば、"当事者たちにとって日本は住みやすい国になってきた"と、そんな声を聞くことも少なくない。しかし現実はどうだろう。私の周りでも「カミングアウトできない」「友人に話す時は、恋人のことを異性だと嘘をつく」という人はいまだに相当数いるし、恋人の存在を隠しているせいで「この子はずっとフリーだから」という謎の烙印を押される人もいた。なかには「どうせ結婚できないから」「未来がないから」という理由で自暴自棄になり、行きずりのセックスをしてしまったり、パートナーとの関係性を構築できない人たちもいる。職場の人たちにセクシュアリティが知られてしまったことで、退職せざるを得なくなってしまう人だっていた。

さらに異性のカップルよりも遥かに、同性同士のカップルは賃貸物件が借りにくいという問題もある。カミングアウトをした状態で賃貸物件を探せば、女性同士なら「経済的な懸念」、男性同士であれば「反社会勢力の疑惑」によって断られるという話も聞いた。パートナーシップ制度も結局は法的拘束力はなく、それを見せることによって「配

慮してもらいやすい」だけだ。完全に「企業努力」に頼った制度なのである。

本来「どうでもいいこと」であるはずのセクシュアリティが、「どうでも良くないこと」として問題になってしまうこの国が、はたして本当に「住みやすい」のだろうか。この疑問はパートナーとハワイに留学をしたことで、ますます大きく膨らんでいった。

長いフライトを終えて入国審査を受ける時、私と彼女は「家族」ではないため別の列に並んでいた。私のほうが早く終わったので彼女のことを待っていると、審査官がこちらをチラッと見て「彼女はあなたのパートナー？」と尋ねてきた。「そうです」と彼女が答えると、ひと言「楽しんでね」と伝えられた。そんな何気ないやりとりに、私は驚いてしまった。日本で「女と女」「男と男」が歩いていれば、大抵の人は頭の中で「この２人は友だちだ」と処理をしてしまう。そのせいか、カミングアウトをする前に「恋人っぽい雰囲気」を出せば、「え？？？？ん？？？」と明らかに思考停止をされてしまうことが多かった。

ハワイで暮らしていくなかでわかったのは、たとえ同性同士が歩いていたとしても「彼らは友だちに違いない」なんて前提を一切持っていなくて、いつだって「友だち？ 恋人？ それとも家族？」という３択が

組み込まれていた。だからこそ私たちが「恋人っぽい雰囲気」を出したとしても、「あーハイハイ、恋人なのね」で終わってしまう。恋人の有無を聞かれる時だって必ず「彼氏いる？　それとも彼女？」とか、「パートナーはいる？」という聞かれ方をされた。語学学校に入学しても、「あなたたちは恋人なの!?」と驚くのは日本や韓国などの「同性婚が法整備化されていない」国の生徒たちばかりで、「同性婚が認められている国」の人たちからの反応は薄かった。ハワイにおいて、私たちは確実に「タブーな存在」ではなかった。しかも、女性のパートナーがいたとしても「レズビアン」だと決めつけられることもなかった。セクシュアリティという括りは、「どうでもいいこと」だった。もちろん、どんな国にだって例外はあるだろうし、すべての人に「差別心」がないかと言われたらそれはわからない。ただ、「国で認めているのといないのとでは、こんなにも反応が違うんだな」と感じたことは事実だ。

また10月に行われたホノルルプライドでは、ホノルルのメイン通りの片側をすべて通行止めにしてパレードが行われた。車のいない大通りを、たくさんの人たちが闊歩していた。レインボーのものを身につけて歩く人たちの脇で、同じくレインボーのものを身につけた人たちがパレードに手を振っていた。そこには老若男女、本当にさまざまな人たちがいて、同性同士でベビーカーを押す人たちもいた。

私と美樹は寝坊をしてしまったため、パレードの最後尾を走るタクシーの中にいたのだが、ドライバーも含めて通行止めに怒る人たちは見当たらなかった。パレードをする人とそれを見守る人の境界線がないその風景に、私は胸がいっぱいになった。これこそが「皆が勝ち取った権利なんだな」と感じた。カラッと晴れた空の下、虹色の旗が眩しかった。「皆の願いが叶った姿」を目の当たりにして嬉しい気持ちの反面、願いを叶えられない日本に思いを馳せた。「泣くのはまだ早い」と、涙を堪えた。

何も悪いことはない

2005 年、ゲイ・バイセクシュアル男性 5731 人を対象としたインターネット上のアンケートが行われた。それによると、3 人に 2 人がこれまで自殺を考えたことがあり、14％は実際に自殺未遂の経験があるとの結果が出たという（「厚生労働省エイズ対策研究事業」の調査より）。

私のところに来るお悩み相談には、セクシュアリティに関することや同性のパートナーとの関係性、またカミングアウトについての内容も多い。なかには「カウンセリングに行ったけれど、少し違和感を覚えたのでやめた」という人もいた。日本では、医師やカウンセラーのなかでも、LGBT に関して正確な知識を持っている人は少ないと感じる。

知識は持っていたとしても、当事者が抱える「生きづらさ」に寄り添える人は多くはないのかもしれない。私自身も、臨床心理士として学んできたなかで「LGBT当事者に関する講義」を受けたのは1度だけだ。確かに、どんなカテゴリーに属していたとしても、人間は人間でしかない。しかし、社会の構造によって苦しめられている人たちの悩みには、「特殊」な側面があることも事実だ。

もし治療者側が異性愛者で、相談者から「私はバイセクシュアルなんですけど、それをレズビアンの子たちには言えないんです」と話されたとしても、状況を把握することは難しいと思う。この一文を読んで、「セクシュアルマイノリティ同士なのにどうして？」と思う方もいるだろう。どんなに「LGBT」という言葉の認知が広がったとしても、本質的な問題は外には届かない。そうすると、当事者はどんどん「専門機関」に行きづらくなってしまう。

結果、未来が見えなくなって自殺を考えたり、それを実行してしまう人たちがいる。「どうせ話してもわかってもらえない」という絶望感を与えないためにも、治療者への教育の必要性はあると感じている。

もし仮に、あなたが自分のセクシュアリティについて悩みを抱えているなら、次に伝えることを心に留めてほしい。「あなたが誰を愛するか」

という問題に対して、"迷惑"を被るのは（いるとすれば）あなたのパートナーだけだ。たとえあなたがどんな性別であったとしても、どんな性別の人を愛そうと、「あなたのパートナーになる人」以外には関係がない。私が「パンセクシュアル」か「レズビアン」かを気にしていいのは美樹だけで、美樹との関係性が構築された今では、それすらもまったく問題にならない。大切なのは、あなたの「こころ」なのだ。そこにあれこれ口を出してくるような人の意見なんか、絶対に気にしなくていい。

そして、あなたは誰にも申し訳なく思う必要はない。親に対しても、友人に対しても、あなたが謝る必要なんてひとつもない。あなたは誰のことも傷つけてはいないし、たとえ相手が「傷ついた」と言ったとしても、それは相手と「生きていく上での価値観」が違うだけなのだ。カミングアウトするかしないかはあなたの自由だが、とにかく「あなたがあなたであることに、悪いことなんて何ひとつない」ということを私は強く推していきたい。

「どうでもいいこと」にはできないこと

LGBTQ＋というように、世の中には「名前のついた」セクシュアリティがたくさんある。もしあなたがその名前を「使う」ことによって安心

感を得られるのであれば、存分に利用していいと思う。しかし、もしあなたが「名前」に縛られてしまっているのであれば、一度自分を解放してあげてほしい。男らしくとか、女らしくとか、「〇〇らしく」する必要はない。あなたがレズビアンだろうがゲイだろうが、本来は「どうでもいい」話なのだ。同性同士が結婚できたり性別による括りがない社会の中では、「性別」や「セクシュアリティ」は星座と同じくらいのものだ。それを「どうでもいいこと」にできないのは、間違いなく社会構造に問題がある、と何度だって主張しておきたい。

今のパートナーとお付き合いをして、すでに4年が経った。最初の2年間は恋の熱に浮かされて、「差別」というものを認識できなかった。街中で「3人でセックスしようよ」と男性に声をかけられた時も、「"そっち系"なの!?」と言われた時も、「あぁ、そういう教育を受けてないんだな」と思うことで耐えてきた。

しかし、3年、4年と過ごし、彼女との未来を見据えていくなかで、「なんで私たちだけが我慢をしなくてはいけないんだろう」と考えるようになってきた。同性同士で付き合うことによって「結婚」という未来がなくなってしまうこと、「出産」という選択肢を失うことは明らかに不平等だと感じる。3カ月で破局する関係性ではわからなかったものが、未来を展望する中で浮き彫りになってきたのだった。

「目の前で攻撃的なことを言われる」ような差別は、確かに減ってきているのかもしれない。仮にそういう人がいたとしても、彼らの言動を「悪」だと思える風潮は出てきたと思う。

とある議員が「LGBT の人たちは生産性がない」と発言した時も、たくさんの人たちが声を上げ、結果的にその文言がのった冊子は廃刊となった。しかし「緩やかな差別」はまだ確実に存在している。それは地方に行けば行くほど顕著になる。もしかしたら、場所によっては「古臭い暴言」を投げられる可能性だってある。

「差別が浮き彫りになっていない」という理由だけで、「差別構造はなくなった」と手放しで喜んでいいわけではない。問題はいまだに存在しているからこそ、私は今日もこうして発信を続けるのだ。

体の成長や体調によって食べ物の好みが変わるように、性的指向や「心の性別」が変わっていくこともあるかもしれない。だからこそ「当事者」という言葉が一体何を指すのかと言われれば、それは「地球上のすべての人間」だと私は思う。

もし目の前で「生殖行為が行えないカップルは、淘汰されるべきだ」と叫ばれたなら、「同性婚が認められていない日本で、少子高齢化が

起こるのはなぜか」を問いたい。誰が誰を愛そうが関係なく、国は繁栄するし衰退もする。「子どもがゲイだなんて恥ずかしい」と思う親ですら、老後になれば価値観が変わっていく可能性だってある。

自分が大きく捉えている問題も、実は時間の流れの中では小さな問題なのかもしれない。10代の時に悩んでいた問題を、40歳の自分が悩んでいるかと言えば、そうではないこともある。

だから、諦めないでほしい。私はあなたの味方だし、私たちの味方は世界中にたくさんいる。この文章を、私の愛する人、親愛なる友人たちすべてに贈ります。傷ついた過去を清算して、皆が笑顔になれますように。

❤ カミングアウト

書いてきたとおり、私の家はものすごく特殊な家系で、少なくともこれまで生きてきたなかで「自分の家の話に共感してくれる人」に出会えたことはなかった。西日本のとある場所をルーツとした私の家族は、いわゆる「家父長制度」を具現化したような家だった。

男が外で働き、女が家を守る。「男の子」でなければ家は継げない。しかしながら、生まれてくるのはほとんどが女の子で、「女難の呪いだ」なんて言われていたこともあったと聞いた。

政治を生業にしている家系だったからこそ、物心ついた時から、私は「条件の良い男性」との結婚を望まれることがあった。受験を失敗した私に、家族はあまり期待を抱いていないように思えて、勝手に「それならいい嫁になりなさい」という圧を感じていた。高校生の時には、なんとなく「この人と結婚したら理想的だ」と言われるような存在がいた。私はそれが嫌でたまらなくて、反発するように、なるべく「家で過ごさない」ようになった。休みの日には必ず外出していたし、門限のギリギリまでは家に帰らなかった。また彼のほうから遠ざかってほしくて、わざと「素行が悪くて男遊びをしている」という噂だって

流した。結果的にその話はなくなったにせよ、周囲の人たちからの〝結婚に対しての期待〟がなくなることはなかった。

自分のセクシュアリティに気がついた時、私は「結婚できない」ことを強制的に悟った。今のパートナーと出会って恋に落ちてからは、ますます家に帰りにくくなった。しかしパートナーと真っ直ぐ向き合っていくうちに、「このまま逃げていてはダメだ」と気がついたのだ。「彼女と家族になりたいのなら、私の家族とも向き合わなきゃ……」と。

しかし、私の家は「簡単にカミングアウトができる土台」を持っていなかった。それどころか今まで生きてきた人生のなかで、母と「恋愛トーク」をしたことすらなかったのだ。だからこそ、まず私は一方的なカミングアウトよりも、双方向のコミュニケーションを大事にしようと考えたのだった。

カミングアウトというものは、単にセクシュアリティを伝える行為ではなくて、その人が「どう生きたいか」を伝えるものである。カミングアウトについて悩んでいる人の大半は、「自分のセクシュアリティ」の話題について重きを置き過ぎてしまう傾向がある。もちろんそれは、その人自身が悪いのではなく、そうさせてしまう社会構造に問題があると思う。カミングアウトというものは本来、「セクシュアリティの暴

露」というよりも、「自分らしく生きていく宣言」に等しい。だからこそ、勢いに任せて「私はこうだからね！ よろしく！」と伝えてしまうのは少々一方的ではあるし、言われた側は戸惑いを覚えてしまう。向こうの心の準備も整っていない状態のなかで「すべて」を伝えたとしても、すれ違ってしまうに決まっている。

そこで私は「自分がどう生きたいか」について、小出しで表明をすることにしたのだ。以下については、母の心情を察しながら時間をかけて順序立てて行ったので、もし「カミングアウトのヒントが欲しい」と思っている人がいたら、参考にしてもらえたら嬉しい。

① 同性愛への偏見を薄めるヒントを提示してみる

新宿二丁目に行ったこともある母は、比較的「LGBTに対する偏見」は少ないほうだった。しかしながら、いざ自分の娘が「女の子を好きになる」と、話は別だ。「結婚」や「女性としての生き方」を大切に思ってきた母だからこそ、心理的負担だって大きかったに違いない。だからこそまずは「当事者ではないポジション」を装いながら、「LGBT」という言葉を知らせることから始まり、少しずつ「同じ人間なんだよ」という自分の意見を伝えていくことから始めた。カミングアウトをしている友人から許可を得て「AちゃんとBちゃんのカップルと遊んでく

るね！」とさり気なく伝えることで、「LGBTQ 当事者は身近にいる」ということを知らせていった。また同性カップルのパートナーシップが、異性同士のパートナーシップと変わらないことを話すこともあった。

さすがにここまですれば、勘の良い母は何かに気づき始める。ある日、「あなたは男の子になりたいの？」と尋ねられたのだ。そこでも私はすぐにカミングアウトはせず、「男の子にはなりたくないよ。女性として女性と生きていくことには興味はあるけど」という伝え方をした。結果として私は今まで一度も自分のセクシュアリティについて、母に言及したことはない。レズビアンとかバイセクシュアルとかパンセクシュアルという言葉を伝えたところで、それは単なるカテゴライズでしかないし、私と母には必要がなかったのだ。

② 生き方と向き合う

次に私は、自分自身の生き方と向き合ってみた。「自分がどう生きていくか」を考えていく際に、例えば「ライフワーク」であったり「金銭的な問題」はつまずきになりやすい。特に私の母は、「パートナーがどんな人で、加奈にとってどんないい影響を及ぼすのか」について非常に重きを置いていた。そして、その思いのなかには「加奈が食べていくお金に困らず、幸せに生きてほしい」という願いがあった。たとえ

私が「金銭的なこと」に重きを置いていなかったとしても、それは紛れもなく母の愛だった。だからこそ、女性同士であっても経済的に2人で生活していけるということを見せることも、大きな安心材料になるだろうと考えた。

その上で私は、「母の思う家族は築けないこと」を謝り、とことん寄り添おうと決めた。私が私らしく生きることは自由だが、「私が描く家族像」もまた、誰かに押し付けてはいけないと感じたからだ。その人のセクシュアリティは尊重されるべきではあるが、「親が思い描いていた家族像」と「自分が思い描く家族像」は違うことだってある。例えば、「孫を抱きたい」という親の理想を叶えてあげられないかもしれない。もちろんそれは、その選択肢を選べない社会が悪くて、私が罪悪感を抱く必要はない。しかし私のパートナーの性別が「女性」であることを明かしてからは、「ごめんね、でも私はこういう生き方をして、自分らしい人生を歩んでいきたいの」ということは、根気強く何度も何度も伝えていった。

時には、拒否的な反応をされることもあった。「一時的なものだろう」と、軽んじて捉えられてしまうことだってあった。しかし、そんなことを繰り返していくうちに、「私に成功してほしいの? それとも、自分らしく幸せに生きてほしいの?」と尋ねると、「幸せに生きてほしい」と母

は言ってくれたのだ。その答えを用意するまでに、母にはどれだけの葛藤があっただろう。母が「私の人生」を想い、そして認める努力をしてくれた。それを考えるだけで、私は嬉しかった。また、美樹と付き合っていくなかで、私自身が「生きていくこと」に責任を持てるようになったのも、母が認めてくれた理由のひとつだと思う。

うまく付き合う

ハワイに旅立つ前、家族と最後の食事をした時に、「今のパートナーがどれくらい素敵な人で、生きていく上で必要な存在か」について初めて伝えた。その後母から「最後まで加奈のパートナーと会えなかったね。きっと素敵な人だってわかってるよ」と1通のメッセージが届いた。私はその文章を読んで声を上げて泣いた。やっとスタートラインに立てた瞬間だった。それから約1年後、ハワイから帰国した私と美樹を家族は温かく迎え入れてくれた。やっとパートナーが"恋人"として、自分の家族と自然に交流できるようになったのだ。

この4年間、私が感情的になってしまう日もあれば向こうが感情的になる日ももちろんあった。しかし、人と人との関係性というものはすごく流動的なもので、たとえ衝突してもその瞬間が結論ではないのだ。親子だって、仲がいい時も悪い時もある。それに人はみんな老いてい

くし、必ずいつかは死んでいく。私だって親だって、老いていけば価値観は変わっていくもので、だからこそ「絶望」をしたことはなかった。そして何よりも、私の家族が「私自身」を愛そうとしてくれたことに心から感謝をしている。

繰り返しになるが、「カミングアウト」とは、単にセクシュアリティを話すだけのものではなく、その人の「人生を伝える」行為だと思っている。だからこそ、普段からどれくらい「コミュニケーションを取っているか」が肝になりやすい。これまで私は、家族1人ひとりの人生についてとことん向き合ってきたつもりだ。そこには、父の生き方、母の生き方、妹の生き方、そして私の生き方がある。私は心の底から、家族の幸せを願っているし、きっと家族も同じように感じてくれていると信じている。それぞれがどう生きていくか、そしてどう交わっていくかについて話してこそ、「カミングアウト」は完了するのかもしれない。

もちろん、これがすべての参考になるわけではないだろう。もし家族に自分自身を受け入れてもらえず、「これ以上の話し合いはムリ」だと判断したら、距離を置いてみたっていいと思う。実際、ハワイへの留学はいい機会になったと思う。

また、たとえ100％受け入れてもらえなかったとしても、人と人との関係は60：40で成り立つことだってある。そう思いながら、「これが私にとって自分らしい姿なんだよ」と少しずつ伝えていくことも大切だ。

私自身も、まだこれが「ゴール」だとは考えていない。人にはそれぞれコンディションというものがあるからこそ、もしかしたらどこかのタイミングで「女性と生きている私」に対して批判的な意見を持つ時がくるかもしれない。でも生きている限り、私たちは伝え合うことができるし、距離を置くことだってできる。大切なのは「うまく付き合っていくこと」なのだ。家族とも、自分とも、自分の未来とも。

とにかく私は、「カミングアウト」で傷ついてしまう人たちが少しでも減っていくことを望んでいる。そして何よりも「カミングアウト」という言葉がなくなる世の中を、率先して目指していきたい。

今はまだ難しいかもしれない。しかし「自分らしく生きること」は、もう遠い未来の話ではないと信じている。家父長制に支配されていた私が、女と生きることを決め、そしてフェミニストになっていくまでにはたくさんの気づきと傷つきがあった。同じ思いをしている人たちが報われる世の中になるように、今日も私は頑張るのだ。

♥

結婚への思い

2019 年 6 月、私はパートナーの美樹と共に、表参道の式場「IWAI OMOTESANDO」で「ウエディングセレモニー」を行った。そのイベントは「CELEBRATION WEEK for all」というもので、これまでにたくさんの結婚式を手がけてきた CRAZY WEDDING が「同性婚が認められるその日まで、同性カップルの門出を祝い続けます！」という意思を表明し、開催されたものだった。そしてそのトップバッターとして、私と美樹の「挙式」を挙げさせてもらったのだ。

挙式とはいっても、日本ではまだ同性婚は認められていない。だからこそ、広く知られている意味の「挙式」ではなく、「改めて愛を誓い合う場所」を設けてもらった。それを行う上で、相手への想いを綴った長い長い手紙を書いた。そして、たくさんの方々に見守っていただいているなかで、それを読み合った。

終わったあと、美樹といろんなことを話した。その上で、強く思うことがあり、SNS にこう綴った。

「私たちはパートナーシップ宣誓ではなく、結婚がしたい。それも海外ではなく、日本で。その想いがより一層強くなったのが、今回のイベント『CELEBRATION WEEK for all』でした。

今回、誓い合ったことにより、私たちの未来はもっとはっきりとしたビジョンに変わっていきました。忙(せわ)しない日々の中や、心無い出来事が起こってしまうと忘れてしまいがちですが、私たちにはいつだって選択肢を持つ権利があります。

『美樹と2人きりでも楽しいし、お互いの家族と一緒でもいいし、家族が新しく増えてもいい。新しい家族は、貴女に似た子でもいいし、私に似た子でもいいし、2人にまるきり似てなくってもいい。大切なのは美樹がそばに居てくれることだから。』

『これからも1日1日を一緒に大切に過ごしていこうね。お婆ちゃんになっても2人で沢山笑っていようね。2人一緒ならどこで何をしていても大丈夫。2人ならどんな時でも楽しいね。』

これは、私たちの長い長い誓いの一部です。

法律が認めないから、その愛を『なかったこと』のように振る舞わな

くてはいけない人たちもいる。こういった『誓い』を立てられないから、2人の未来を望めない人たちがいる。私たちがあの場所で交わした誓いは、2人の約束でもあり、『すべての人が未来を望むことができる』ための第一歩でもありました。

この機会を作ってくれてありがとう。見届けてくれてあろがとう。素敵な時間をくれてありがとう。出会ってくれてありがとう。たくさんの愛をありがとう。私たちを選んでくれてありがとう。側にいてくれてありがとう。一緒に考えてくれてありがとう。

同じ課題を抱えている人も、そうでない人も、すべての人が明るい未来を望めるように、私たちにできることをやっていきたいと思っています。

あの素敵な時間を、できる限り皆様にお届けできたら嬉しいなぁと思っているので、またお知らせをさせてください。そしてこのイベントや想いに、少しでも賛同してくださる方、どんなツールでも良いのでシェアをしていただけたらとっても嬉しいです。

最後まで読んでくださって、本当に有難うございます。今後とも、どうぞよろしくお願いいたします。

結婚への思い

わがし *channel*
Kana / Miki」
(「わがし *Channel*」公式 *Instagram* より)

このイベントによって、私はより一層、彼女との未来をリアルに感じることができた。ここに記したように、私たちには「パートナーシップ宣誓」をする意思はない。同性婚が可決されて、お互いの家族が了承した上で、「結婚」をしたいと考えている。しかしそのためにはまず「結婚」というものを法整備化してもらわなければならないのだ。

結婚制度とは、一体誰のために存在しているんだろう。同性婚に反対を示す人たちの意見のなかには「そもそも結婚制度というものは、子孫を繁栄していくことが前提として成り立っている」というものがあった。最初に作られた法律が、仮にその「意味」を含んでいたとしても、令和になってまでそれに従う必要はあるのだろうか。世の中には、子を持たない選択肢を選んでいる夫婦だってたくさんいる。「子ども」がいてこそ、「家族」なんだろうか。

私にはやはり、そうは思えない。自分が「家族」だと感じる人と、家族になれるべきだと思う。そしてそれを保証してくれるのが「法律」

なのだ。

2020 年 3 月、あまりにも悲しいニュースが目に入ってきた。約 45 年間連れ添った男性が急死し、パートナーの親族から火葬に立ち会うことを拒否された。また、共同経営の会社も相続できずに精神的苦痛を受けたとして、パートナーの親族に損害賠償を請求したというものだ。しかし、彼の訴えは退かれてしまった。パートナーの生前には、死別後に互いに財産を残せるように」と、養子縁組をする約束を取り交わしていたという。でもその手続きをする前に、パートナーは亡くなってしまった。パートナーの葬儀では親族席に座ることは許されず、火葬にも同席できなかった。

私はこのニュースを見た時に、一日中何もできなくなってしまうくらいの絶望感に襲われた。この話は決して他人事ではない。もし今美樹が急死してしまったら、私は完全なる「他人」なのだ。45 年添い遂げた相手を、誰が「家族ではない」と言い切れるだろう。相手はもう自分の日常の中の一部で、一緒に暮らした家には至るところに思い出が転がっている。そんな相手が突然亡くなって、最後のお別れすら言えない、「家族」として認識すらしてもらえなかったら。一緒に育て

た「子ども」のような会社を奪われてしまったら──。彼の心境を思うだけで、私には耐えられなかった。同じ思いをする人を生んではいけない。心から思った。

「新型コロナウイルスにかかって命を失ってしまった時、家族や親族は死に立ち会えない」というニュースを見た。ウイルスの解明ができない限り、亡骸に別れを告げることも難しい。感染防止のためとはいえども、その現実は辛く苦しすぎるものだ。しかし、そもそも私と美樹は「新型コロナウイルス」が存在しなかったとしても、同じ状況を強いられるかもしれない。でも私は、これまでそのことに気づいていなかった。このような非常事態を体験して初めて、「相手を失った時に家族として認められないという絶望に襲われる」ということがリアルになったのだ。もし美樹が新型コロナウイルスに感染してしまったら。もし私が事故にあったら。こんな状況だからこそ、当たり前の日常が奪われる苦しみを実感しやすくなった。

「同性婚が必要かどうか」と問われた時、答えはもちろん「イエス！」である。もし愛する彼女が事故にあったとしても、自分はすぐには駆けつけられない。そんなの辛すぎる。法的に「家族だと認められない」ことで起こる弊害は滅茶苦茶ある。渋谷区などで認められている同性パートナーシップ条例などは、日本にとってはある意味大きな進歩で

はあったけど、登録料や諸々の手続きを含めると最低でも1人約8万円はかかってしまうし、はっきり言って値段と価値が見合っているとは言えない。異性同士の結婚は無料なのに、おかしな話だ。

また、同性婚が認められることで、「国が認めてるなら変なことじゃないのかも……」と思う人たちだって出てくるだろう。同性婚が可決されたからといって、生活が苦しくなる人は誰1人いない。ほかの法律と同じように、関係のある人には関係のある話だし、関係のない人には関係のない話だ。同性婚が認められた国では、同性愛者の自殺率が46％も減少したというニュースもあった。それに対して「少子化になる」とか「家族制度が崩れる」と反論をする人がいるが、同性婚によって少子化になってしまった国のデータはひとつもないし、それによって崩れてしまうような「家族」なら、最初から崩れていると思うのだ。

日本の未来へのエール

2019年2月14日、とある男性カップルが婚姻届を提出して不受理となり、国を相手にした裁判が始まった。裁判を行う上で、多くの人たちが賛同し、今では「Marriage For All」という団体として活動を行っている。その裁判の中で、国は「同性カップルは想定されていない」という意見書を提出した。私と美樹の日常は、国から「想定されてい

ない」のだ。美樹と過ごした日々、例えば朝ごはんを作ってもらったり、旅行を楽しんだり、そんな愛しい思い出の日々が、書類の上では「白紙」同然なのだ。そんな悲しいことがあるだろうか。

しかし、この裁判に関する報道を見て、私たちが「日本で生きていく希望」を見出せたのも事実だ。どんなに国が退けたとしても、食らいついて反論してくれる人たちがたくさんいる。誰かの「想い」を実現するために、こんなに頑張ってくれている人たちがいる。「あなたは決して１人じゃないよ」とエールを送られている気持ちになった。だからこそもう一度、日本で暮らしていける自信を持てたのだ。

CRAZY WEDDING の挙式のあとで行われたアフターパーティでは、Marriage For All Japan 代表理事の寺原真希子弁護士がこんな話をしてくれた。

「私には小学生の息子が２人いるんですが、１年前くらいに長男が『男同士って結婚できないの？』と聞いてきたので『今はできないけど、ママが裁判に勝ってできるようにするから、性別関係なく好きな人を好きでいていいんだよ』と答えたんです。この約束を守るためにも、必ず同性婚を実現させます！」と。

「同性婚が実現する」ということは、一見「LGBT の人しか得をしない
じゃん」と思われるかもしれないが、そんなことはない。日本は「民
主主義」政治なのだ。だからこそ、国民が声を上げることによって
「法律が変わる」という前例は、未来の日本にとっても大切な要素
になってくる。

「あなたの苦しいことは、あなたが我慢すればいい」と突き放されて
しまう世の中は、性別やセクシュアリティを問わず、すべての人にとっ
て息苦しい世の中になってしまう。日本を愛しているからこそ、この
国に生きるすべての人たちが「生きやすい」社会になってほしい。

黙らない、ということ

「政治って難しいからわからない」
「投票したい人がいない」
「1票で何が変わるの？」

給料日、あなたがもらうお金から差し引かれている数字。買い物をした時に感じる違和感。ドライブをした時に払うお金。恋人との未来。家の蛇口から出てくる水。あなたの部屋を照らす電気。災害に遭った時のライフライン。あなたが生きていく上で必要不可欠なものはすべて、「政治」に直結する。もっとも個人的なことは、もっとも政治的なことなのだ。

自分の大好きなもの、自分にとって大切なこと、自分が生きていく人生のすべてを突き詰めると、そこに政治は存在している。私たちが日々何気なく暮らしているすべてのことが、私たちの知らないところで決められ、社会は回っている。

あまり知られていないけれど、経済的な理由によって自殺に至る人はものすごく多い。

あなたに支払われているお金は、仕事に見合っている？

奨学金の返済は、気が遠のく。

消費税が 10％になったことで、支出が増えるようになった。

なぜかわからないけれど忙しい、なぜかわからないけれどつらい。

新型コロナウイルスによってたくさんの人たちが生活に余裕がなくなった。

大好きな仕事を手放さなければいけなくなってしまう人たちは、これから増えてくる。

私たちが払っている税金は、どこに消えていっているんだろう。

しんどさの原因をたどると、政治が絡んでいることは大いにあり得る。だからあなたが自分を責める必要はひとつもない。怒りを向ける矛先は、「生きる権利」を保証してくれない政府なのだ。

「すべて国民は、個人として尊重される。生命、自由及び幸福追求に対する国民の権利については、公共の福祉に反しない限り、立法その他の国政の上で、最大の尊重を必要とする」

憲法 13 条に書かれている言葉だ。日本国憲法というものは、戦争で負けた日本が「これからは国民の人権を第一に考えます」という声明文である。誰かによって国家権力が乱用されることを阻止し、憲法が

私たちの「生きる権利」を守ってくれている。だからこそ、この文章が存在している限り、あなたはいつだって尊重され生命や自由や幸福追求を認められているのだ。

当然、もしそれが破られた時は「違憲だ」と反論することもできる。憲法を変えるということは、ある意味で「私たちの命の重さ」を変えることにもつながりかねないのだ。今の日本で、このことについて理解している人たちはどれくらいいるだろう。「学校で習った政治の授業、苦手だったんだよね〜」「難しいことばっかりでわかんない！」「政治って、思想が偏っている人たちが好きなやつでしょ」といって考えることをやめてしまう人は多いと思う。

社会というものは、常に「声を上げる人たち」「行動する人たち」によって変わってきた。

女性の参政権だって、同性婚だって、セクハラ・パワハラが問題視されるようになったのも、選挙権の年齢が引き下げられたのも、残業時間が見直されるようになったのも、最初は"誰かの声"から始まった。

「#KuToo」運動によって、「パンプスの着用を強制するような、苦痛を強いるような合理性を欠くルールを女性に強いることは許されない

のは当然のことだ」と総理が言明したし、2020 年から行われる予定
だった「大学入学共通テスト」は高校生からの指摘によって一部の導
入が見送られることになった。新型コロナウイルスへの対策として考
えられていた「和牛商品券」もなくなって、国民 1 人ひとりに 10 万円
だって配られることになった。

緊急事態だからこそ、今までよりもきっと多くの人が実感していると
思う。私たちの生きやすい社会は、間違いなく私たちが作っていける
のだ。

あなたの幸せは、誰にも奪うことのできない宝物だ。
しかし、ひとつの法律が変わってしまうだけで、それが簡単に失われ
てしまう可能性が出てくる。それは私も同じ。だから私は、自分や大
切な人たちの幸福を守るために投票に行く。どんなに批判されても、
無視されても、私は「投票に行こう」と言い続ける。口を閉ざしてし
まったせいで、誰かの言いなりになんてなりたくない。多くの国民が「国
家のために」と亡くなっていった、あの「戦争」という悲劇を二度と
起こしたくない。

国家とは、あなたのためにある。
あなたがあなたの人生を送っている限り、その 1 票が軽いわけがない

のだ。もし政治家があなたの1票を軽んじているとすれば、それは間違いなく怠慢だろう。

しかしながら、日本ではまだまだ投票率は低い。毎日忙しい、しんどい、未来のことなんて考えてられない。その気持ちは本当によくわかる。誰に投票するかを考えるだけで億劫だし、自分のことでも精一杯なのに国についてなんて考えられない。それもよくわかる。それならまず、身近なところで「行動」を起こしてみるのはどうだろう。

例えば、家族とコミュニケーションをとってみたり、自分の今までを振り返って文章にまとめてみたり、自分自身を傷つけてしまうことをやめてみたり、ずっと言えなかったことを専門家に吐き出してみたり、そういうことでもいい。

少しでも動けたら、それは立派な「行動」である。自分の人生に迷いがあるなら、まずはロールモデルを探してみるのもいい、誰かの相談に乗ってみたり、自分の生き方に向き合ってみたり、「嫌いなもの」をとことん探究してみるのもいい。そうやって、あなたがあなた自身と対峙した軌跡を発信していくのもいいと思う。

大それたことなんてする必要はないし、あなたの人生だけを生きてい

いのだ。気が弱くて空想にふけっていた少女——私にだってできた。あなたの中にだってできる力は必ずある。

そしてもし余力があれば、あなたが外に対して「しんどい」と思うこと、普段なら「押し黙って我慢してしまうようなこと」に対して少しでもいいから行動してみてほしい。声を上げてみたり、選挙の時に投票に行くことだって「行動」だ。助けならいくらだってある。逃げたい場所からは逃げ出していい。闘いたいなら闘ってみてもいい、あなたが何かに強く憤っているなら SNS を利用することもひとつの手だ。

その過程こそが、必ず世の中を「今よりも少しだけいいもの」に変えていく。そして何より、あなたは１人じゃない。もしもあなたが私の人生に対して「なんだか他人事じゃないな」と感じてくれたのなら、その気持ちを大切にしてみてほしい。あなたの人生も、私にとっては他人事ではないのだ。「最も個人的なことは、最も一般的なこと」、あなたの痛みは社会の痛みでもある。

私の生きていく社会が、昨日よりも好きになれるように、私は今日も声を張り上げる。

❤ 明日死ぬかもしれない 私の「有限」を探す旅

「明日、自分が死んだらどうなるのだろう？」

そんなことを考えた経験はないだろうか。私は何度も何度も、その問いについて考えたことがある。事実として、人はいずれ死ぬ。どんなに生きていたって、どんなに素晴らしいことをしたって、寿命は平等に、私たちにわけ与えられている。そんなことは誰だって知っているはずだ。しかしながら、「死」について実感を持って感じている人はどれくらいいるだろう。

以前の私は、「自分が死ぬ」ということを容易く想像できていた。周囲には私の死によって影響される人とされない人がいて、時間はただ刻々と流れていく。いつしか私は忘れられ、地球の塵となって飲み込まれていくんだ──そんなふうに考えていた。だからこそ、自分の思う「最高に幸せな瞬間」に死にたかった。花火のように散っていって、葬式で皆が大笑いしてくれるような、そんな人生が良かった。しかしながら、それを思いつく時の私はただただ孤独で、1人で生きて1人で死んでいくような気持ちになっていた。

今の私は、こんなふうに考える。

「明日、彼女が死んだらどうなるんだろう？」

そんなことを伝えたら「勝手に殺すな！」と笑われてしまいそうだが、大真面目に「彼女の死」について考えては枕を濡らす日が、本当にある。

どんなに永遠を誓っても、どんなに長く一緒にいたとしても、時間は有限だ。いつか彼女の体は衰え、骨密度は下がっていく。「歳を重ねた姿を見ること」への喜びの後ろには、「終わりへの絶望」が影のように張り付いている。「彼女」という存在そのものが、いつかは消えてしまう未来がくるのだ。

それは私にも言えることで、命の保証がない限り「永遠の愛」なんて夢のような話である。寿命という期限がある中で、「永遠」とは何を指すものなんだろう。同じタイミングで死ぬことを望んでいたとしても、それは不可能に近い。いつかは必ず、どちらかが相手を失ってしまう時間が来る。

それは家族や友人でも同じだ。どんなに大切に思っていたとしても、いずれは死んでいく。自分の親の年齢が 60 歳だとして、80 歳まで生

きるとしよう。そうするとあと 20 年も一緒にいられるような気がするが、細かく考えてみるとその計算は間違っている。

例えば、1 日 3 時間コミュニケーションをとったとしても、親と話せるのは残り 2 万 1900 時間だ。日数で言えば 912 日、約 2.5 年分しか時間は残されていない。しかし、実家暮らしだとしても 1 日に 3 時間も家族とコミュニケーションをとっている人は少ないだろう。また、自分の親が 80 歳まで生きている保証なんてどこにもないし、自分自身もいつ死んでしまうかわからない。そうなってくると、相手と過ごせる時間は思っているよりもずっと短い。

そして自分が今こうして生きている瞬間も、同じ時間は二度と訪れない。私たちは刻一刻と「唯一無二の時間」を消失させている。2020 年 4 月は 1 度しか訪れないし、今日のこの日も人生の中では「たった 1 日」なのだ。

ハワイに住んでいる時、波打ち際を眺めながら「この瞬間はもう二度と来ないんだろうな」と考えていた。暑すぎて嫌気がさした時も、衛生面で日本を恋しく思った時も、言葉の壁につまずいた時でさえも、「もう二度と戻ってこない」と思うだけで、すべてが愛しくて貴重な瞬間に思えてきた。たとえ「死」を意識しなくたって、人生における何

もかもが「有限」なことに気づいている人は少ない。あなたが「毎日のルーティン」だと思っていることは、実は少しずつ違っていて、「同じに見えるような行動を選択している」だけなのだ。月並みな言葉で表せば、「あなたにとっての今日は、その瞬間しかない」ということだ。本当は人生なんて「奇跡」の集まりで、その瞬きがあまりにも眩しすぎるからこそ人は"フィルター"をかけてしまうのかもしれない。

美樹の29歳は1年しかなくて、彼女の2020年3月7日は1日しかない。それは家族や友人にも同じことが言えると思う。日々、体が成長し衰えていく中で、彼らですら把握できていないような貴重な瞬間を、私の眼は確実に捉えている。相手の皮膚の柔らかさ、たゆたう髪の光、こちらに向けられた視線。「あなたの知らないあなた」を、もしかしたら私のほうがよく知っているかもしれない。あなたが失いつつある貴重な一瞬一瞬を、私がしっかりと心に留めておきたい。それは相手がいくつ歳を重ねたって同じだ。だって今この瞬間の眼差しも、言葉も、表情も、一緒に見ている景色ですら有限で、二度と手に入らないものだから。

「死」というものは、経験者が語れない分、抽象化されやすい側面がある。死んだら天国に行くとか地獄に行くとか、何回転生するとか、死は新しい人生の始まりとか、黄泉の国に行けるとか、皆が好き勝手

に「死」を揶揄する。でも、それでいいのだ。だって、「死」への思いは人それぞれだから。しかし、希望的観測を含んだ「死」ばかりを信じていると、「生」を実感しにくくなる。「生」と「死」が曖昧であることは、人生にとって「良いこと」ばかりではないのかもしれない。

私にとって、「死」は「無」だ。心臓が止まれば、脳は最後の電気信号を発し、次第にすべてが止まり始める。動きを失った血液は、重力の通りに下に溜まっていく。筋肉は硬直し始める。当然ながら、その時の私の意識は「無」だ。ブツッとコードを抜かれてしまった機械みたいに、私の生涯はそこで終える。それはほかの人の「死」であっても同じことだ。

だから私は「死」が怖い。正しく「死」を怖がることができるようになった。当然、大切な人の「死」だってものすごく怖い。

今の私がもし「最高に幸せな瞬間」で死んだら、恐らく大切な人たちを深く深く傷つけてしまうと思う。葬式で笑えるわけがないし、立ち直るまでに時間もかかってしまうだろう。「笑ってくれ」なんて無責任な話だった。だから私は、大切な人たちが「最高に幸せな人生」で死ねるまでは、できる限り健康に生き続けたいと思う。そしてその「幸せな人生」に少しでも貢献できていたら、これほど嬉しいことはな

い。だから今日も交通安全を確認するし、誰かの攻撃から身を守ろうとするし、病気にならないように気をつける。大切な人たちを悲しませる人間が、「私」になってしまわないように粛々と生きていくのだ。

私たちはつながっている

「時間の有限性」というものはいつだって、悲しみを想起させやすい。そこに「限り」があるから、私たちは人生について考えられるのかもしれない。「死」があるからこそ、人生は豊かになれる。「死」があるからこそ、今日もあなたを大切に思える。もしも人間が「死」を乗り越えてしまう方法を見つけてしまったとしたら、私はきっと深く絶望をすると思うのだ。人生は思っているよりも短く、儚い。それは自分自身の人生だけではなく、あなたの大切な人の人生も同じだ。

自分の死から逆算して物事を考えた時、人生を尊く思う人もいれば絶望をする人もいると思う。未曾有の天災や未知のウイルスが驚異的に蔓延し、多くの人にとって「死」が身近な存在になり、自分の生きている世界について疑問を投げかけるタイミングもできた。

人生とはなんだろう。

明日死ぬかもしれない私の「有限」を探す旅　　269

もしかしたら、あなたにとっては「軽い」ものなのかもしれない。しかし私にとってはあなたの生きている時間、こうして呼吸をし、瞬きをしているその瞬間のすべてが重く、尊い。

「何も知らないだろ」と思うかもしれない。しかしこの本のページをめくった瞬間から、私とあなたは「この本を通して」つながりを持っている。だからこそおこがましいのはわかってはいるが、伝えさせてほしい。

生命を維持できている限り、あなたにはあなたらしく生きていってほしい。頭の先から爪の先まで、あなたはどこまでもオリジナルで、世界中のどこを探したとしてもあなたの「替え」はいない。あなたが善人だろうが悪人だろうが、優しくても意地悪でも、あなたの関わってきた物事すべてにその痕跡は残されている。

家族との関係性に苦しんでいる人、「自分で自分を傷つけること」がやめられない人、自分の性別に疑問を感じている人、将来が見えない人、自分の「愛」がわからなくなってしまった人、居場所がない人、差別に傷つけられた人、病に苦しむ人、愛する人を失った人、他人と比べられてしまう人、性被害の記憶に苦しんでいる人、自分のことが大嫌いな人、傷ついた人、傷つけられた人……あなたたちはみんなサ

バイバーだ。そして、私たちはつながっている。すべての物事は「他人事」ではなくて、「あなた自身のこと」なのだ。

だから、あなたは決して1人ではない。どうせ死ぬなら、どうせ一度きりなら、私はとことん足掻いて、自分らしく生きていきたい。

この本を読み終えたあと、少しだけ空の色が違って見えたり、いつもよりも少しだけ自分を好きになってもらえたなら、きっと、私の人生も少しだけ「いいもの」になっていくと思っている。

お悩み相談室
―みんなからのQ&A―

Instagramに
寄せられたお悩みに
お答えします。

Q. パートナーとお金の価値観で悩んだことってありますか?

A. ないかもしれません。基本的に自分の生理欲求に関わる価値
観って、一緒にいたい相手によってアップデートされた方が「幸
せ」への近道になりやすいと思っていて。
なので、話し合った上でどうしても向こうが譲れないのであれば、
私の価値観をアップデートするかな。それかお互いの妥協点を
探ります。(アップデートできるくらいの大切な相手に限ります
が……)
※ここでいう「アップデート」とは単に相手に意見を合わせると
いう意味ではなく、お互いに納得した上で自分にとっての「幸せ」
について考え直してみる、ということです。

Q. 自分ではどうしても抑えられない怒りが
爆発しそうになる時、どうしたらいいですか?

A. 私はいつも「わーー!」って叫んだり、歌ったり、泣いたり、
文章にして書き殴ったりしています。
周りの目とか騒音が気になるなら枕に顔を埋めて叫んだり、ベッドの
中で大暴れするとスッキリしますよ。フラストレーションを溜めて
もいいことないもんね。外に出られない今だからこそおすすめ。

Q. 加奈さんは「生きる」とはどういうことで、
「生きる意味」とはどういうものだと考えますか?

A. 「生きる」とは、心臓が脈打って血液が循環し、肺が
膨らんでは萎んでいくようなこと。
「生きる意味」とはある種の思い込みのようなもので、
本質的な「意味」は後からついてくるのだと思います。
だから先に理由付けする必要はありません。
後で「こんな意味だったんだ」とわかるものだから。

Q. "常識"という言葉を気にしすぎて
動けなくなってしまいます。
加奈さんの思う常識とはなんでしょうか?

A. 自分以外の人間と衝突なく過ごすためのひとつの「規範」。
「社会的」なんていうけれど、それって結局「周囲の人間関係」
を指していると思っていて。もしそこら辺をマイルールでこ
なせているのであれば、無理して常識的にならなくていい
んじゃないかな、と。最低限のルールさえ守っていれば……
(あくまで個人の意見です)。

Q. 親に受け入れてもらえないという場合、同性愛者で
あることを隠し通すこともアリだと思いますか?

A. カミングアウトってものすごく勇気のいることで、その
選択をした誰もが幸せになってほしいっていうのは大前提。
その反面で、カミングアウトすることが「正しい行い」みたい
になるのは違うなと感じています。
隠し通すことも選択肢のひとつです。
カミングアウトという選択をした人たちと同様に、「隠し通
す」という選択をしたあなたにも勇気と優しさがあります。
家族に本音を吐き出したい人もいれば、距離をとっていた
ほうが幸せな人もいる。大アリだと思っています。

Q. 自分らしくいるリスクが大きすぎる時に、
周りから求められる姿に迎合することは
負けですか?

A. 負けじゃなんかじゃありません。
自分らしくいるあなたもそうじゃないあなたも、全部
「あなた自身」だと思います。
その2つがうまく融合した先に、必ずあなただけのオ
リジナルがあると思うので、恐れないで楽しんでみて
ください。

Q. 同性のパートナーと付き合っていることに関して、
親にカミングアウトをしたいです。背中を押してください。

A. 人間の関係性は、その瞬間ですべてが決まるものじゃないと思って
います。だからもし、あなたが思うような結果にならなくても、時間
が経てば解決していくことだってある。あなたが「カミングアウト
をしよう」と感じた経緯を大切にしてあげてください。
どうか良き方向に進みますように。私は味方です。

Q. 嫌味を言われた時の対処法を教えてください。

A. 悪意を表現するのって無意識だとしてもかなり体力を使う
ことだと思っているので、「わざわざ嫌味を言ってしまうくら
いその人にとって優先順位が高い存在なんだなあ〜」と思っ
てみる。プライベートな友人から言われた場合は、私だった
ら「どういう意味？？？？」って聞いちゃうかもしれない。ス
ルースキルも大切だけれど、スルーしてばかりはしんどいから（で
きる範囲で）、エイッ！ってしちゃう……（笑）

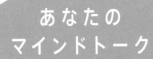

あなたの
マインドトーク

本書を読み終えたあとの、
あなたの心の話を
聞かせてください。

1. あなたが日々の生活の中で、嫌だな、悲しいな、
しんどいなと感じていることを書き出してみてください。

2. (1.)について、自分で解決できそうなこととその方法、
また自分では解決できなそうなことを書き出してみてください。

3. 家族、友達、先輩後輩、職場の同僚や上司、恋人など、
人間関係で悩んでいることがあれば、書き出してみてください。

4. (3.) について、自分で解決できそうなこととその方法、
また自分では解決できなそうなことを書き出してみてください。

書き出したこのページは、 #マインドトーク とつけて SNS にアップしてもらってもいい
ですし、ただ自分の気持ちを知るきっかけにしてくれるだけでもかまいません。まずは
あなたの心の声と、向き合ってみましょう。解決出来なそうなことがあれば、お試し
でも良いので専門機関にかかってみてください。
数年後、このメモを見た時に、あなたの悩みが解決されていますように。

おわりに

人生で初めての執筆活動を行ってみて、私が最初に感じたのは、「産みの苦しみってこういうことだったのか……」というものだった。本書を書いていくにあたって、まずは私の人生をもう一度深く掘り起こさなければならない。記憶の片隅に埋もれていた思い出の断片が、書き進めていくうちにどんどん見つかっていった。"苦しい記憶"について書く時、家族の話を書く時にはやっぱり筆が進まなくなって、「大丈夫、ゆっくりでいいから」と自分をケアしながら進めていった。

特に、私にとって「家族」の話を書くことは非常にハードルの高いことだった。何度も何度も書籍の編集者さんと相談をし、何カ月も迷って、やっと書くことを決めた。私が「みたらし加奈」として名乗る理由も、自分の本当の苗字にコンプレックスを抱いていたからだ。

でも私はもう、「自分自身」として生き始めている。1人の人間として、自分の人生と向き合った時に、「みたらし加奈ではない私」を隠して生きていくことは、自分や家族、そして応援してくださっている皆さんに「嘘」をつくことと同じだと思った。

自分が今まで経験してきた多くの出来事が、この本には書き記されている。モヤモヤした思いや傷ついた感情、悲しかったこと、寂しかったことを言語化する"痛み"は、カウンセリングの時にクライエントが感じる痛みと似ている気がする。誰にもほじくり返されたくないし、土足で踏み荒らされたくない。でも書くことで得られる希望の光を、私は知りたかった。立ち止まって悩んで、後退して、でも誰かに聞いてもらったり言葉にすることによって得られる、その先の希望や未来を知りたいからこそ、私は臨床心理士になったのかもしれない。

私の人生はたった27年で、その歳月を「まだ」と思うか「もう」と思うかは、人それぞれだと思う。私にとっては「まだ」なのだ。今まで苦しいことも辛いこともたくさんあった。それでもたくさんもがいて生きてきて、やっと人生のスタート地点に立てた気分だ。ハワイから帰国をして、新しい私として「日本で生きる」ことを選んだ。そのタイミングでこうして出版のお話をいただいて、人生を振り返る機会をもらえたことを本当に光栄に思っている。そして私の人生についての話を、ここまで読んでくださった皆さんに改めて感謝の気持ちを伝えたい。

私は現在、「みたらし加奈」としてメンタルヘルス関連のことを発信する一方で、「わがしChannel」のKanaとして"同性カップルのありふ

れた日常"を発信している。以前から、SNS上では「みたらし加奈」として活動をしていたのだが、より多くの人たちと出会えるきっかけになったのは、パートナーと始めた「わがしChannel」からだった。「わがしChannel」を始めたことによって出会えた人たち、例えばお仕事で出会った方々やいつも応援してくださっている「あま党」の皆さんは、本当にかけがえのない存在だと感じている。美樹と「思い出作りしようよ！」と言って始めたものが、少しずつたくさんの方に見ていただけるようになり、今では「発信する意義」も感じられるようになった。

いただくコメントのなかには、「正直偏見があったけど2人を見て、男女のカップルと変わらないじゃんって思った」「もし将来息子がカミングアウトをしてくれたら、2人の動画を見せようと思います」という本当に嬉しいものもたくさんあった。私たちが「日常」を発信しているなかで、こんなにも温かい反応をいただけるなんて夢にも思わなかった。同時に、私たちが私たちであることに「意義」が生まれてしまう社会を変えたいとも思った。「女性同士のカップルが生活をしていること」を"普通"として受け取ってもらえる世の中にしていくために、私には何ができるんだろう……とたくさん考えた。

結果、行き着いたのはやはり、「発信」していくことだった。思いを言葉にして電子の世界に乗せていくこと。そして見ている人たちに、少

しでも「優しくて楽しい気持ち」になってもらえる動画を心がけること。きっと動画を見てくれている人たちの中には、耳が聞こえづらかったり育児をしていたり、LGBTQ の当事者だったり、いろいろなバックグラウンドを持つ人たちがいると思う。動画を受け取ってくれる人たちについて想像しながら、丁寧に編集したり、言葉選びに気をつけていくこと。それが私たちにできる唯一のことだと考えている。

先日、とある仕事でご一緒した人に「『わがし Channel』を拝見して、本当に時代は変わったなと思いました」と声をかけていただいた。その方はレズビアンであることをカミングアウトしていて、長い間ずっと LGBT コミュニティを支えてきてくれた人である。

「私が生きてきた時代では、ネットでカミングアウトをするハードルは本当に高かった。女性同士のカップルが "日常" を出すことだってできなかった。こうして 2 人がセクシュアリティにこだわらずに "日常" を発信してくれていることで、それが当たり前の時代に向かっていくことが本当に嬉しい」

彼女は、そう話してくれた。本当に嬉しかった。

ひと昔前は、インターネットで「レズビアン」と検索すると、男性向けのアダルトビデオがトップに出てくる状態だった。自分のセクシュアリティに悩む人が「自分はレズビアンかもしれない……」とインターネットで検索してアダルトビデオにたどり着いてしまったら、どれほどショックを受けるだろう。

そして今、インターネットで「レズビアン」と検索をすると、私たちと同じ同性カップルの YouTuber や、LGBTQ に関するメディアやコラムが出てくるようになった。確かに今でも、「レズビアン」というワードそのものが"性的に搾取されやすい"状況はなくなっていない。しかしながら、こうして誰もが気軽に「同性カップルの日常」に触れられるようになった現代に、私は希望を抱いている。彼女が言ってくれたように「時代は変わっていく」のだ。

私が同性婚を支持する理由は、もちろん美樹と「家族になりたい」という思いがベースにはあるが、ほかにも理由がある。同性婚や選択的夫婦別姓が叶う世の中は、多くの人たちにとって確実に、「息のしやすい世界」になるからだ。同性婚はその象徴的なテーマでもあると思う。

本書でも触れたように、私たちは必ず何かの「マイノリティ」だ。例えばうつ病や発達障害、他国にルーツがある人、LGBTQ の当事者、障がいを持っている人、シングルマザーやシングルファザー、特殊なバックグラウンドを持っている人。同性婚が法整備化されることによって、これまで差別や偏見に苦しんでいたすべての人たちが"声を上げやすい"世の中になっていくと信じている。国から提示されたものをただ受け入れるのではなく、国民が「生きやすい社会」を提案する。それは選択的夫婦別姓も同じである。私たちは私たちの生きる世界を、より豊かにしていく力を持っているのだ。

この本の中では、そういった社会的なこと、そして「自分自身をケアしていくこと」についても触れてきた。世の中には声を上げるどころか、自分の悩みを打ち明けられなかったり、周囲の人に「言えないこと」を抱えてしまうような、"声を出せない"人たちがたくさんいる。「しんどくて社会に目を向けられないよ」という人は、とことん自分自身をケアしてほしい。無理に「生きる意味」なんて見つけなくていい。まずはあなたの「好きなこと」と「嫌いなこと」を見つけて、次に「今やりたいこと」「今やりたくないこと」を見つけていくことができれば最高だ。その「今」が「今日」になって、「明日」になって「今年」になって、そうやって未来はつながっていく。

新型コロナウイルスによって多くの人たちの「日常」が奪われてしまった。焦らなくていい。あなたが健康で、今日を生きていて、明日も生きたいなと思えることが素晴らしいのだ。

今日この本を手にとってくれたあなた。

あなたの大切な時間を私にくれて、本当にありがとう。いつかあなたと会える日を願って、大切に人生を生きていこうと思います。どうか体には気をつけて、しっかりご飯を食べて、できることなら温かいお風呂に浸かって、眠れる時に寝てください。あなたの心が穏やかな日が、1日でも多くありますように。

そしてこの本を執筆するにあたって本当にお世話になった千吉良さん、いつも支えてくれている美樹さん、本の出版を応援してくれた家族、登場させることを快く了承してくれた親友、そしてこの本を手にとってくださったすべての人に、感謝の思いを込めて。

2020年6月吉日
みたらし加奈

　　　　　　　　　　　　　　　おわりに

おわりにの先に

『マインドトーク』を出版したことによって、さまざまな反響をいただきました。その中には「死のうと思っていたけれど、目標ができた」と送ってくださる方や、自分のつらい体験と私の体験を重ね合わせて、「苦しかったけれど、読みきれてよかった」と伝えてくださる方もいました。「誰かを救える」なんて思うことはなかったけれど、こうして読んでくださった方のほんの少しの希望に繋がっていることを嬉しく感じています。この本を執筆したことで、過去に苦しかった自分とお別れするわけではなく、共存し、今度は「誰か」について考えてみる。そんな次のステップが見えてきました。

そして初版発売から2カ月後、私は「mimosas（ミモザ）」というメディアを、有志のメンバーと共に立ち上げました。mimosas は、弁護士や臨床心理士と共に「必要な正しい」情報を発信しているメディアです。世の中には今でも、悲しいニュースや苦しい出来事が多く起こっています。しかし、どんなにしんどい現状だとしても、もしかすると「知る」ことで希望が見えることもあるのかもしれない……と思うのです。そう、この本に何度も出てきた瞬間のように。どうか本書が、必要とされている方の手元に届きますように。これからもそう願っています。

2020年10月吉日
みたらし加奈

マインドトーク

2021年9月28日第3刷発行

著者　　みたらし加奈

発行者　千吉良美樹
発行所　ハガツサブックス

〒158-0094
東京都世田谷区玉川2-21-1　二子玉川ライズ・オフィス 8F
電話　03-6313-7795

デザイン　　坂井恵子
印刷・製本　モリモト印刷

©Kana Mitarashi, 2020 Printed in Japan.
ISBN978-4-910034-01-0　C0095